Workbook and Answer Key

José B. Fernández
University of Central Florida

Anna Saroli
Acadia University

¡Arriba! Comunicación y cultura

Canadian Edition

Eduardo Zayas-Bazán
East Tennessee State University, Emeritus

Susan M. Bacon
University of Cincinnati

Gary Aitken
Trent University

Anna Saroli
Acadia University

Toronto

ISBN 0-13-196726-6

Acquisitions Editor: Christine Cozens
Developmental Editor: Adrienne Shiffman
Production Editor: Judith Scott
Production Coordinator: Wendy Moran

2 3 4 5 09 08 07 06 05

Printed and bound in Canada.

Contents

To the Student

This ***Workbook and Answer Key*** has been adapted to accompany ***¡Arriba! Comunicación y cultura*, Canadian Edition.** The ***Workbook*** activities are designed to help you further develop your reading and writing skills while practicing the vocabulary and grammar points featured in your text.

Each lesson in the ***Workbook*** corresponds to the topics presented in your text and is divided into five sections: *Primera Parte, Segunda Parte, Nuestro mundo, Taller,* and *¿Cuánto sabes tú?* Each *Parte* focuses on the particular vocabulary and grammar points of the text and is divided into three subsections: *¡Así es la vida!, ¡Así lo decimos!,* and *¡Así lo hacemos! Estructuras*. The exercises in the *Nuestro mundo* section of the *Workbook* are based on the corresponding section in your text and provide you with the opportunity to apply your knowledge of the relevant Spanish-speaking country or countries. *Taller* allows you to enhance your reading and writing skills through a variety of practical approaches, including open-ended writing exercises. Finally, *¿Cuánto sabes tú?* includes a series of summative exercises that help you test what you know and what you may still need to review.

Nombre: ______________________________ Fecha: ____________________

LECCIÓN 1 Hola, ¿qué tal?

PRIMERA PARTE

¡Así es la vida!

1-1 Saludos y despedidas. Reread the conversations on page 3 of your textbook and indicate whether each statement is true (**C: cierto**) or false (**F: falso**). If a statement is false, write the correction in the space provided.

En la biblioteca

C F 1. La señora se llama señora Garrido.

____

C F 2. Elena está muy mal.

____

En la clase

C F 3. La estudiante se llama profesora López.

____

C F 4. La señora López es profesora.

____

En el gimnasio

C F 5. Elena está más o menos.

____

C F 6. Jorge está muy bien.

____

En la oficina

C F 7. Elena no está muy bien.

____

C F 8. El examen es el 3 de octubre.

____

¡Así lo decimos!

1-2 ¿Saludo o despedida? Decide if each expression below should be used as a **saludo** or **despedida** and write it in the appropriate column.

Adiós.	Buenos días.	¿Qué tal?	Hasta pronto.
Hasta luego.	Buenas tardes.	Hasta mañana.	¡Hola!

Saludo	**Despedida**
______________________	______________________
______________________	______________________
______________________	______________________
______________________	______________________

1-3 Respuestas. Imagine that you are at a party at which you talk to friends as well as older people you don't know. How would you respond to the following questions or statements?

1. ¿Qué tal?
   a. ¡Buenos días! b. Más o menos. c. ¿Cómo te llamas?
2. ¡Buenos días!
   a. ¡Buenos días! b. Hasta luego. c. Mucho gusto.
3. ¡Hasta mañana!
   a. ¿Y usted? b. Adiós. c. ¿Qué pasa?
4. ¿Qué tal?
   a. Hola. b. Hasta pronto. c. Bastante bien.
5. ¿Cómo se llama usted?
   a. Soy Elena Acosta. b. ¡Buenos días! c. No muy bien.
6. ¡Mucho gusto!
   a. Más o menos. b. Igualmente. c. Gracias.
7. ¿Cómo estás?
   a. ¿Y tú? b. Hasta pronto. c. No muy bien.

Nombre: ___________________________________ Fecha: ____________________

1-4 ¿Formal o informal? Imagine that you speak with several friends and strangers at the party. How would you ask a friend and then a stranger the following questions? Write each question in the space provided.

	Friend	Stranger
1. How are you?	______________________	__________________________
2. And you?	______________________	__________________________
3. What's your name?	______________________	__________________________

1-5 Conversaciones. Complete each conversation logically by writing in the appropriate words or phrases. Select from the lists provided for conversations 1 and 2, and provide your own responses for 3 and 4.

1. adiós cómo estás gracias lo siento usted

Sr. Morales: Hola, Felipe! ¿________________________?

Felipe: Muy bien, __________________. ¿Y __________________, señor Morales?

Sr. Morales: No muy bien.

Felipe: ________________________, señor.

2. y tú buenas tardes igualmente gusto me llamo

Enrique: Buenas tardes.

Carlos: ¡________________________! ¿Cómo se llama usted?

Enrique: ________________________ Enrique Fernández.

Carlos: Mucho ________________________.

Enrique: ________________________.

3. **Felipe:** Buenos días, profesor Rodríguez.

Prof. Rodríguez: ________________________, Felipe.

Felipe: ¿________________________?

Prof. Rodríguez: ________________________, gracias.

Felipe: Hasta luego.

Prof. Rodríguez: ________________________.

4. **Juana:** Hola, Jorge, ¿________________________?

Jorge: Más o menos, Juana, ¿y ________________________?

Juana: ________________________, gracias.

¡Así lo hacemos! Estructuras

1. The Spanish alphabet

1-6 Emparejar. Match the Spanish letter on the left with the explanation on the right.

_____ 1.	Spanish **g**	a.	letter pronounced like the oo sound in the English word *moon*
_____ 2.	Spanish **r**	b.	letter that is pronounced like the English *th* in much of Spain
_____ 3.	Spanish **b**	c.	letter that is pronounced like the hard English *h* before **e** or **i**
_____ 4.	Spanish **u**	d.	letter that has two distinct sounds
_____ 5.	Spanish **z**	e.	one of two letters that are pronounced exactly alike

2. The numbers 0–99

1-7 Las matemáticas. You are practicing your math facts. Complete each of the following by writing the missing number in Spanish.

1. Once menos _______________ son dos.
2. Treinta más _______________ son noventa.
3. Ochenta menos _______________ son diez.
4. Tres por _______________ son cuarenta y ocho.
5. Quince dividido por _______________ son cinco.
6. Dos por _______________ son cuarenta.
7. Noventa y nueve menos _______________ son cuarenta y nueve.
8. Doce dividido por _______________ son dos.
9. Trece más _______________ son treinta y dos.
10. Ocho dividido por _______________ son dos.

Nombre: ____________________ Fecha: ____________

1-8 Más números. Complete the following sequences in a logical manner.

1. ____________, catorce, quince, dieciséis, ____________
2. ____________, diez, doce, catorce, ____________
3. ____________, veinte, veintiuno, veintidós, ____________
4. ____________, treinta y seis, cuarenta y siete, cincuenta y ocho, ____________
5. ____________, sesenta, setenta, ochenta, ____________
6. ____________, treinta, veintinueve, veintiocho, ____________
7. ____________, ochenta, ochenta y cinco, noventa, ____________
8. ____________, sesenta y seis, setenta y siete, ochenta y ocho, ____________
9. ____________, siete, cinco, tres, ____________
10. ____________, treinta, cuarenta y cinco, sesenta y uno, ____________

1-9 Números de teléfonos. Write in Spanish the phone number in each advertisement.

ESPECIAL
VENDE O ALQUILA
Plazas de Garaje en:
C/ Agustin de foxa, 57
TEL: 5321164

NÚMERO UNO
TAXI
96 32 74
SERVICIO PERMANENTE
y también GRÚA

1. Número Uno Taxi: ____________________
2. Plazas de Garaje: ____________________

3. The days of the week, the months, the date, and the seasons

1-10 Los días de la semana. Write, in Spanish, the day of the week that completes the sequence.

1. martes, ______________________________, jueves
2. domingo, ______________________________, martes
3. miércoles, ______________________________, viernes
4. lunes, ______________________________, miércoles
5. jueves, ______________________________, sábado
6. sábado, ______________________________, lunes
7. viernes, ______________________________, domingo

1-11 Los meses del año. Complete by writing, in Spanish, the missing month in the sequence.

1. enero, ________________________, marzo
2. ________________________, julio, agosto
3. noviembre, diciembre, ________________________
4. mayo, junio, ________________________
5. ________________________, octubre, noviembre
6. marzo, ________________________, mayo
7. ________________________, septiembre, octubre
8. enero, febrero, ________________________

1-12 Los días, los meses y las estaciones. Unscramble the following days of the week, months, and seasons.

1. enriinvo ________________________
2. imogond ________________________
3. oneer ________________________
4. sotgoa ________________________
5. svueje ________________________
6. straem ________________________
7. btucoer ________________________
8. oaenrv ________________________

Nombre: ____________________________ Fecha: ____________________

1-13 ¿Cierto o falso? Read the following statements and indicate whether the statement is **cierto (C)** or **falso (F)**. If a statement is false, write the correct answer in Spanish.

MODELO: Febrero tiene *(has)* treinta días.
Falso: Febrero tiene veintiocho días.

C F 1. Enero es un mes del invierno.

____

C F 2. Abril tiene treinta días.

____

C F 3. Hay (*there are*) once meses en un año.

____

C F 4. Mayo es un mes del verano.

____

C F 5. La Navidad es en la primavera.

____

C F 6. El Día de los Enamorados es en agosto.

____

C F 7. Agosto tiene treinta y un días.

____

C F 8. Hay dos estaciones en un año.

____

C F 9. Hay clases los domingos.

____

SEGUNDA PARTE

¡Así es la vida!

1-14 Fuera de lugar. Circle the letter corresponding to the word that does not fit in each group.

1. a. borrador
   b. tiza
   c. pizarra
   d. mochila

2. a. silla
   b. pupitre
   c. escritorio
   d. techo

3. a. ventana
   b. pared
   c. cuaderno
   d. puerta

4. a. bolígrafo
   b. piso
   c. lápiz
   d. papel

¡Así lo decimos!

1-15 En la clase. How would your Spanish instructor tell a student or students to do the following?

MODELO: Tell a student to write in Spanish.
Escribe (Escriba) en español.

1. Tell a student to answer in Spanish.

____

2. Tell students to listen.

____

3. Tell a student to go to the board.

____

4. Tell students to study the lesson.

____

5. Tell a student to read the lesson.

____

6. Tell students to close the book.

____

Nombre: ______________________________ Fecha: ________________

1-16 ¿Qué hay en la mochila? Your little brother is very curious about what you have in your backpack. Answer his questions based on the model.

MODELO: ¿Qué hay en la mochila? (books)
Hay unos libros.

¿Qué hay en la mochila?

1. (pencils) ______________________________
2. (pens) ______________________________
3. (a notebook) ______________________________
4. (a map) ______________________________
5. (papers) ______________________________

1-17 ¿Qué hay en la clase? Write at least six items that are in your classroom.

MODELO: *Hay una pizarra.*

1. ______________________________
2. ______________________________
3. ______________________________
4. ______________________________
5. ______________________________
6. ______________________________

1-18 En la librería. You are doing inventory in the bookstore warehouse. In Spanish, write the number and the items you have in stock.

1. 21 tables ______________________________
2. 31 pens ______________________________
3. 66 pencils ______________________________
4. 16 desks ______________________________
5. 1 map ______________________________
6. 30 erasers ______________________________
7. 71 notebooks ______________________________
8. 80 books ______________________________

1-19 Los colores. In Spanish, write the names of at least two objects you associate with each of the following colours.

1. blanco ______________________________
2. amarillo ______________________________
3. verde ______________________________
4. rojo ______________________________

1-20 Los antónimos. Choose the adjective on the right that is the opposite of the one that appears on the left.

_____ 1. simpático	a.	inteligente
_____ 2. interesante	b.	caro
_____ 3. grande	c.	mala
_____ 4. tonto	d.	pequeña
_____ 5. buena	e.	perezoso
_____ 6. trabajador	f.	aburrido
_____ 7. barato	g.	antipático
_____ 8. tímida	h.	extrovertida

¡Así lo hacemos! Estructuras

4. Definite and indefinite articles; gender of nouns

1-21 El artículo definido. Write the correct form of the **definite** article for each noun.

1.	_______________ sillas	6.	_______________ borrador
2.	_______________ pupitres	7.	_______________ papel
3.	_______________ relojes	8.	_______________ mapa
4.	_______________ luz	9.	_______________ mochila
5.	_______________ paredes	10.	_______________ bolígrafo

Nombre: ________________________ Fecha: ________________

1-22 El artículo indefinido. Write the correct form of the **indefinite** article for each noun.

1. ____________ lápiz
2. ____________ relojes
3. ____________ mochila
4. ____________ ventana
5. ____________ mapas
6. ____________ tiza
7. ____________ pupitres
8. ____________ escritorio
9. ____________ pizarras
10. ____________ mesa

1-23 ¡A cambiar! Change the gender of each noun below.

MODELO: el profesor
la profesora

1. el señor ____________
2. el hombre ____________
3. el artista ____________
4. la estudiante ____________
5. el chico ____________
6. la niña ____________
7. la mujer ____________
8. la muchacha ____________

1-24 ¿Masculino o femenino? Indicate whether the following nouns are masculine or feminine by writing **M** or **F** before each noun.

1. ______ libro
2. ______ microscopio
3. ______ pared
4. ______ mapa
5. ______ pupitre
6. ______ tiza
7. ______ lápiz
8. ______ luz
9. ______ pizarra
10. ______ borrador

5. Plural nouns

1-25 Del plural al singular. Change each phrase from **plural** to **singular**.

MODELO: los libros grandes
el libro grande

1. las lecciones interesantes ______________________
2. unos ejercicios difíciles ______________________
3. las luces blancas ______________________
4. unos cuadernos anaranjados ______________________
5. las sillas azules ______________________
6. los relojes redondos ______________________
7. los escritorios caros ______________________
8. unas mesas cuadradas ______________________

1-26 En la librería. A customer calls the bookstore to ask if certain items are available. Complete her questions and give affirmative answers.

MODELO: ¿Hay una mochila?
Sí, hay unas mochilas.

1. - ¿Hay ____________ bolígrafo?
   - Sí, hay ______________________.
2. - ¿Hay ____________ libros?
   - Sí, hay ______________________.
3. - ¿Hay ____________ mapa?
   - Sí, hay ______________________.
4. - ¿Hay ____________ lápiz?
   - Sí, hay ______________________.
5. - ¿Hay ____________ silla?
   - Sí, hay ______________________.
6. - ¿Hay ____________ cuadernos?
   - Sí, hay ______________________.

Nombre: ______________________________ Fecha: ____________________

7. - ¿Hay ____________ papeles?
   - Sí, hay ______________________________________.
8. - ¿Hay ____________ pizarra?
   - Sí, hay ______________________________________.

6. Adjective form, position, and agreement

1-27 ¡A completar! Fill in the blanks with the correct forms of the words in parentheses.

MODELO: <u>*la*</u> pizarra <u>*negra*</u> (el/negro)

1. _______ relojes ____________________ (un/caro)
2. _______ señoritas ____________________ (el/antipático)
3. _______ señora ____________________ (el/trabajador)
4. _______ estudiantes ____________________ (un/español)
5. _______ profesora ____________________ (un/interesante)
6. _______ clase ____________________ (el/grande)
7. _______ luces ____________________ (el/amarilla)
8. _______ libros ____________________ (el/azul)

1-28 No, . . . Tony likes to practice Spanish, but he sometimes uses the wrong gender. How would you correct the following questions?

MODELO: ¿Es una estudiante mala?
No, es un estudiante malo.

1. - ¿Son unos señores extrovertidos?
   - No, son ______________________________________
2. - ¿Son unos profesores simpáticos?
   - No, son ______________________________________
3. - ¿Es un estudiante tímido?
   - No, es ______________________________________

4. - ¿Es una señorita fascinante?

   - No, es ______________________________

5. - ¿Es una estudiante inteligente?

   - No, es ______________________________

6. - ¿Son unos estudiantes perezosos?

   - No, son ______________________________

7. - Es una señora buena?

   - No, es______________________________

8. - ¿Son unas francesas trabajadoras?

   - No, son ______________________________

1-29 En general. Respond to each of the following observations with a generalization, based on the model.

MODELO: El libro negro es caro.
En general, los libros negros son caros.

1. El escritorio marrón es grande.

   En general, ______________________________

2. La mochila gris es cara.

   En general, ______________________________

3. El reloj grande es redondo.

   En general, ______________________________

4. La mesa blanca es cuadrada.

   En general, ______________________________

5. El cuaderno azul es barato.

   En general, ______________________________

6. La estudiante inteligente es trabajadora.

   En general, ______________________________

7. La clase grande es interesante.

   En general, ______________________________

8. El libro verde es pequeño.

   En general, ______________________________

Nombre: ______________________________ Fecha: ________________

1-30 En clase. Complete the following descriptions of people and objects you know. Use colours, adjectives of nationality, or descriptive adjectives.

1. El libro de español es ______________________________
2. El escritorio es ______________________________
3. El/La profesor/a es ______________________________
4. Las sillas son ______________________________
5. Los estudiantes son ______________________________
6. La pizarra es ______________________________

NUESTRO MUNDO

1-31 Los países de nuestro mundo. Based on the information from **Nuestro mundo** on pages 26-27 of your textbook, decide whether the following statements are **cierto (C)** or **falso (F).**

C F 1. No hay muchos hispanos en el Canadá.

C F 2. Hay rascacielos *(skyscrapers)* en las capitales suramericanas.

C F 3. Las capitales suramericanas son pequeñas.

C F 4. En muchas capitales hay contaminación *(pollution).*

C F 5. Santa Fe de Bogotá es la capital de Venezuela.

C F 6. Hay medios modernos de comunicación entre *(between)* España y las Américas.

C F 7. En la cordillera de los Andes no hace mucho frío.

C F 8. En el Amazonas hay mucha vegetación.

1-32 Tu experiencia. The Spanish-speaking world is amazingly varied. Select a city or region in the Spanish-speaking world that you have visited or would like to visit and explain why you find it interesting. You may write in English, if you wish.

____

____

____

____

____

____

TALLER

1-33 La clase. Write a brief paragraph describing your classroom. Name as many objects as you can, including information on number and colour. Describe your classmates' nationalities. End with a description of your professor.

¿CUÁNTO SABES TÚ?

1-34 Saludos y despedidas. Choose the most logical response to each **saludo** or **despedida.**

1. Buenas tardes.
   a. ¿Y tú?
   b. Buenas tardes.
   c. Adiós.
   d. Encantado/a.

2. ¿Cómo estás?
   a. Muchas gracias.
   b. Bien, gracias.
   c. Hasta mañana.
   d. Lo siento.

3. ¿Cómo se llama usted?
   a. ¿Y usted?
   b. Bien, gracias.
   c. Regular.
   d. Soy Luis Pérez.

4. Hasta luego.
   a. Hola.
   b. ¿Qué hay?
   c. Hasta pronto.
   d. ¿Y usted?

Nombre: ______________________________ Fecha: ____________________

1-35 Las matemáticas. Solve the following calculations and write the answers in Spanish.

1. 53 + 14 = ________________________________

2. 66 – 33 = ________________________________

3. 33 x 3 = ________________________________

4. 10 + 15 = ________________________________

5. 20 x 4 = ________________________________

1-36 Los días, meses y estaciones. Fill in the blanks with the corresponding name of the day of the week, the month, or the season.

1. El día del Canadá es el primero de ____________________.

2. Navidad es el veinticinco de ____________________.

3. El día de los Enamorados es el catorce de ____________________.

4. Halloween es el treinta y uno de ____________________.

5. Los días del fin de semana *(weekend)* son el ______________ y el ______________.

6. En ______________ hace frío *(it's cold).*

7. En ______________ hace calor. *(it's hot).*

8. Entre *(Between)* el martes y el jueves, hay el ______________.

9. Septiembre, octubre y ______________ son los meses del ______________.

10. Marzo, ______________ y mayo son los meses de la ______________.

Nombre: ______________________________ Fecha: ________________

LECCIÓN 2 ¿De dónde eres?

PRIMERA PARTE

¡Así es la vida!

2-1 ¿Cierto o falso? Reread **¡Así es la vida!** on page 33 of your textbook and indicate whether each statement is **cierto (C)** or **falso (F)**. If a statement is false, write the correction in the space provided.

C F 1. José es español. ______________________________

C F 2. Isabel es dominicana. ______________________________

C F 3. Isabel es muy simpática. ______________________________

C F 4. Daniel es moreno. ______________________________

C F 5. Los padres de María son de Cuba.

____

C F 6. Paco es de Valencia. ______________________________

C F 7. Carlos es de Caracas. ______________________________

C F 8. Carlos y Lupe son venezolanos.

____

¡Así lo decimos!

2-2 Nacionalidades. Explain where the following people are from, using the appropriate forms of the corresponding adjectives of nationality.

MODELO: Luisa y Ramón son de Madrid, España.
Son españoles.

1. Ana es de Colombia. Es ____________________.
2. Federico es de La Habana, Cuba. Es ____________________.
3. Nosotras somos de Buenos Aires, Argentina. Somos ____________________.
4. Alicia y José son de la República Dominicana. Son ____________________.
5. Las profesoras son de México. Son ____________________.
6. El señor Prieto es de Caracas, Venezuela. Es ____________________.
7. Eva y Claire son de Toronto, Canadá. Son ____________________.
8. Anita y Lucía son de Panamá. Son ____________________.

2-3 Muchas preguntas. María has just met her new roommate, Susana. Taking into consideration Susana's answers, complete each of María's questions with the most appropriate interrogative word from the selection given below. You will need to use one of the interrogative words twice.

De dónde Cómo Cuándo Qué Quién Quiénes De qué

1. **María**: - ¿______________ te llamas?
   Susana: - Me llamo Susana.
2. **María**: - ¿______________ eres?
   Susana: - Soy de Ontario.
3. **María**: - ¿______________ ciudad eres?
   Susana: - Soy de Ottawa.
4. **María**: - ¿______________ estudias *(do you study)*?
   Susana: - Historia y sociología.
5. **María**: - ¿______________ son tus clases?
   Susana: - Son por la mañana y por la tarde.
6. **María**: - ¿______________ son éstos (*these*) en la foto?
   Susana: - Son mis padres y Antonio.
7. **María**: - ¿______________ es Antonio?
   Susana: - Es un amigo.
8. **María**: - ¿______________ es?
   Susana: - Es alto, delgado, simpático y muy inteligente.

2-4 Los contrarios. Contradict each of the following statements by completing the second part with the opposing adjective.

1.	Las estudiantes son pobres.	No, son ______.	a. moreno
2.	El libro es bonito.	No, es _______.	b. rubia
3.	La muchacha es alta.	No, es _______.	c. delgado
4.	Paco es rubio.	No, es _______.	d. ricas
5.	Los estudiantes son viejos.	No, son ______.	e. baja
6.	La mochila es nueva.	No, es _______.	f. fuerte
7.	El profesor es gordito.	No, es _______.	g. feo
8.	Los cuadernos son viejos.	No, son _______.	h. nuevos
9.	La estudiante es débil.	No, es ______.	i. vieja
10.	La profesora es morena.	No, es _______.	j. jóvenes

Nombre: ________________________________ Fecha: __________________

2-5 También. For each person or group of people described below, a person or group of people can be described in the same way. Write your response to each of these statements, changing the gender of the people from masculine to feminine or vice-versa.

MODELO: El señor moreno es mexicano.
La señora morena es mexicana también.

1. El profesor argentino es delgado.

   ____

2. Los muchachos guapos son canadienses.

   ____

3. Las madres altas son españolas.

   ____

4. La señora joven es chilena.

   ____

5. El novio peruano es rico.

   ____

6. El padre es venezolano y rubio.

   ____

7. Los amigos son inteligentes y trabajadores.

   ____

8. La profesora panameña es joven.

   ____

2-6 Nombres, apodos y direcciones. Reread the **Comparaciones** section about names on page 36 of your textbook. Then, answer the following questions about the business cards.

1. ¿De dónde es Aníbal Ruiz Pérez?

   a. Departamento de matemáticas b. Puerto Rico c. España

2. ¿De qué país es Eduardo Soto España?

   a. España b. los Estados Unidos c. Venezuela

3. ¿De dónde es Antonio Rodríguez?

   a. director general b. México c. en la oficina

4. ¿Cuál es el apodo de José?

   a. Pancho b. Toño c. Pepe

5. ¿Quién es Tomasa Miranda de Sigüenza?

   a. la esposa *(wife)* de José b. la hija *(daughter)* de José c. la madre de José

6. ¿Quién se llama Pérez?

   a. la madre de Antonio b. la madre de Aníbal c. la madre de Eduardo

Nombre: ______________________________ Fecha: ________________

¡*Así lo hacemos! Estructuras*

1. Subject pronouns and the present tense of *ser*

2-7 Los sujetos. Write the corresponding subject pronoun for each person or group of people.

MODELO: El estudiante = *él*

1.	José	= __________	7.	Francisco	= __________
2.	Susana y yo	= __________	8.	Anita y Carlos	= __________
3.	Daniel y Paco	= __________	9.	Lucía y usted	= __________
4.	las profesoras	= __________	10.	Luis y las estudiantes	= __________
5.	tú y yo	= __________	11.	Ricardo y ustedes	= __________
6.	ustedes y yo	= __________	12.	Tony y tú	= __________

2-8 Luis y Rosario. Complete the conversation between Luis and Rosario with the correct form of **ser**.

— Hola, me llamo Luis Larrea Arias y mi apodo (1) ____________ Lucho.

— Mucho gusto, Lucho. (2) _____________ Rosario Vélez Cuadra.

— ¿De dónde (3) ________________?

— (4) __________________ puertorriqueña, ¿y tú?

— (5) ___________________ panameño, pero mis padres (6) _____________ colombianos.

— ¿Cómo (7) ________________ tu clase de inglés?

— Mi clase (8) _________________ muy interesante y todos nosotros (9) _____________ muy trabajadores.

— Y, ¿cómo (10) __________________ la profesora?

— La profesora (11) _______ muy simpática. Ella (12) _______________ canadiense. (13) _____________ de Vancouver.

— ¡Ay! (14) _________________ las doce en punto. Mucho gusto, Lucho. Hasta luego.

— Mucho gusto. Adiós, Charo.

2-9 Identidades. Use the words provided and the correct form of the verb **ser** to form complete sentences or questions. Remember to change the forms of articles and adjectives as necessary.

MODELO: yo / ser / un / alumna / puertorriqueño
Yo soy una alumna puertorriqueña.

1. nosotros / ser / el / profesores / canadiense

____

2. Ana y Felipe / ser / un / estudiantes / perezoso

____

3. ¿ser / tú / el / estudiante (f.) / norteamericano?

____

4. Marisol / ser / un / señora / delgada

____

5. ¿ser / ustedes / el / estudiantes / francés?

____

6. ¿ser / usted / el / señor / mexicano?

____

7. María Eugenia / ser / un / señorita / dominicano

____

8. Luis y Guille / ser / un / chico / delgado y simpático

____

9. ustedes y yo / ser / español

____

10. Carlos y yo / ser / un / estudiante / inteligente

____

Nombre: ______________________ Fecha: ______________

2-10 Combinación. Write at least six sentences in Spanish by combining the appropriate items from each column. Remember to change adjectives when necessary.

yo		venezolano
Pepe y Teresa		argentino
tú		puertorriqueño
Luis y yo	ser	dominicano
tú y él		trabajador
ella		simpático

1. ______________________
2. ______________________
3. ______________________
4. ______________________
5. ______________________
6. ______________________

2. Telling time

2-11 El horario de clases. Match the following classes with the times given.

1.	La clase de biología es a la una en punto de la tarde.	a. 12:00 P.M.
2.	La clase de español es a las diez y cuarto de la mañana.	b. 8:55 A.M.
3.	La clase de arte es a las siete y media de la noche.	c. 1:00 P.M.
4.	La clase de francés es al mediodía.	d. 7:30 P.M.
5.	La clase de matemáticas es a las cinco menos cuarto de la tarde.	e. 4:45 P.M.
6.	La clase de historia es a las nueve menos cinco de la mañana.	f. 10:15 A.M.

2-12 ¡Adiós! Carolina has a busy class schedule. Complete each of the following typical exchanges she has, based on the model.

MODELO: ¿A qué hora es tu clase de inglés?
(3:00 p.m.) *A las tres. ¿Qué hora es?*
(2:58 p.m.) *Son las tres menos dos.*
¡Adiós!

1. ¿A qué hora es tu clase de sociología?
   (10:00 a.m.) ______________________
   (9:50 a.m.) ______________________
   ¡Adiós!
2. ¿A qué hora es tu clase de literatura?
   (10:15 a.m.) ______________________
   (10:05 a.m.) ______________________
   ¡Adiós!
3. ¿A qué hora es tu clase de psicología?
   (7:30 p.m.) ______________________
   (7:25 p.m.) ______________________
   ¡Adiós!
4. ¿A qué hora es tu clase de economía?
   (4:45 p.m.) ______________________
   (4:35 p.m.) ______________________
   ¡Adiós!

3. Formation of yes/no questions and negations

2-13 ¿No? Unscramble each group of words to form statements with tag questions.

MODELO: ¿verdad? / es / Berta / de Colombia
Berta es de Colombia, ¿verdad?

1. ¿no? / son / muy delgados / Arturo y David

   ____

2. es / inteligente / la estudiante / ¿cierto? / cubana

   ____

Nombre: ___________________________________ Fecha: ____________________

3. Verónica / ¿verdad? / se llama / la señora

____

4. gordo / ¿no? / es / Toño / bajo y

____

5. es / ¿sí? / Gregorio / antipático

____

2-14 Preguntas y negación. Form affirmative and then negative sentences using the following information.

MODELO: Luisa / ser / trabajador
Luisa es trabajadora. / Luisa no es trabajadora.

1. Pepe / ser /venezolano ______________________________________

____

2. Arturo y Miguel / ser / inteligente ____________________________

____

3. Beto y Luis / ser / simpático __________________________________

____

4. Tú y yo / ser / canadiense ____________________________________

____

2-15 Preguntas y respuestas. A new friend has many questions to ask you. First, change the sentences below to yes/no questions, and then fill in the blanks to answer them.

MODELO: Tú eres de Bilbao.
¿Eres de Bilbao?
No, no soy de Bilbao, soy de Barcelona.

1. Tú eres de Salamanca.

¿____?

No, ________________________ de Salamanca, ______________ Madrid.

2. Los estudiantes son de Valencia.

¿____?

No, ________________________ de Valencia, ______________ Málaga.

3. Rosa y Chayo son de Santander.

¿____?

No, ______________________ de Santander, ______________ Granada.

4. Tú eres de Madrid.

¿____?

No, ______________________ de Madrid, ______________ Sevilla.

5. El profesor de matemáticas es de Alicante.

¿____?

No, ______________________ de Alicante, ______________ Logroño.

4. Interrogative words

2-16 ¿Cuáles son las preguntas? Choose the questions that prompted each of the following responses.

MODELO: Soy Antonio Ramírez.
¿Quién es usted?

1. Soy de Santiago de Compostela.

   a. ¿Quién eres? c. ¿Cómo eres?

   b. ¿De dónde eres? d. ¿Qué eres?

2. La profesora es muy simpática.

   a. ¿Quién es la profesora? c. ¿Cómo es la profesora?

   b. ¿De dónde es la profesora? d. ¿Qué es la profesora?

3. Los estudiantes de la clase son inteligentes.

   a. ¿Cómo se llaman los estudiantes? c. ¿De dónde son los estudiantes?

   b. ¿Qué son los estudiantes? d. ¿Cómo son los estudiantes?

4. La mochila es de Raúl.

   a. ¿De quién es la mochila? c. ¿Cómo es Raúl?

   b. ¿De dónde es Raúl? d. ¿Cómo es la mochila?

Nombre: ________________________________ Fecha: __________________

5. Los estudiantes venezolanos son Carlos, Andrés y Rafael.

a. ¿De dónde son los estudiantes? c. ¿Quiénes son los estudiantes venezolanos?

b. ¿Cómo son los estudiantes venezolanos? d. ¿Qué son los estudiantes venezolanos?

6. El examen es a las dos de la tarde.

a. ¿Qué hora es? c. ¿Por qué hay examen?

b. ¿A qué hora es el examen? d. ¿Dónde es el examen?

2-17 En la clase. The students have a lot of questions about their class. Write the questions that prompted the following responses.

MODELO: Me llamo Ana Vargas.
¿Cómo se llama usted?

1 ¿____?
Hay veinticinco estudiantes en la clase.

2. ¿____?
La profesora es de Argentina.

3. ¿____?
Ella es de la ciudad de Buenos Aires.

4. ¿____?
Hay clase los lunes, miércoles y viernes.

5. ¿____?
El libro es muy interesante.

6. ¿____?
Los estudiantes chilenos son Antonia, Ramona y Luis.

7. ¿____?
La clase es por la tarde.

SEGUNDA PARTE

¡Así es la vida!

2-18 Nuevos amigos. Reread the descriptions on page 48 of your textbook and complete the following statements with the missing information.

Celia Cifuentes Bernal

1. Celia es de ________________________________.
2. Ella habla ________________ idiomas: _________________ y _______________.
3. Ella estudia _____________________.
4. Ella tiene un examen de biología __________________________.
5. Los exámenes de biología son ________________________.

Alberto López Silvero

1. Alberto tiene ____________________ años.
2. Él es _________________; de Bilbao, España.
3. Habla ________________ y ______________________.
4. Estudia ______________________.
5. Trabaja por la ______________ en una librería.
6. Practica ________________ con sus *(his)* amigos.

Adela María de la Torre Jiménez

1. Adela estudia en ______________________________.
2. Ella baila con sus amigos ________________________________.
3. Ellos bailan en ________________________________.
3. Adela habla con sus ________________ los domingos.

Rogelio Miranda Suárez

1. Rogelio estudia __________________.
2. Sus clases son ___________________ pero _____________________.
3. Estudia con sus amigos los _____________, ________________ y _____________.
4. En _______________ él nada y practica tenis.

Nombre: ___________________________________ Fecha: ____________________

¡Así lo decimos!

2-19 Fuera de lugar. Circle the letter corresponding to the word that does not fit in each group.

1.	a. básquetbol	b. geografía	c. medicina	d. pedagogía
2.	a. tenis	b. informática	c. natación	d. fútbol
3.	a. ingeniería	b. derecho	c. mañana	d. historia
4.	a. trabajar	b. practicar	c. estudiar	d. fácil
5.	a. historia	b. ciencias políticas	c. examen	d. sociología
6.	a. arte	b. idiomas	c. geografía	d. béisbol

2-20 Actividades. Match each activity with the most logical expression on the right.

1.	_____ escuchar	a.	con un amigo en el café
2.	_____ bailar	b.	en una discoteca
3.	_____ hablar	c.	mucho béisbol
4.	_____ nadar	d.	historia en la universidad
5.	_____ conversar	e.	español, italiano, francés y un poco de inglés
6.	_____ mirar	f.	en una librería
7.	_____ trabajar	g.	música clásica
8.	_____ estudiar	h.	la televisión
9.	_____ practicar	i.	en la piscina
10.	_____ preparar	j.	una pizza

¡Así lo hacemos! Estructuras

5. The present tense of regular *–ar* verbs

2-21 ¿Qué hacen? Complete each sentence with the correct form of the verb in parentheses.

1. Nosotros (caminar) ________________________ por las tardes.
2. Los estudiantes (preparar) ________________________ la lección.
3. ¿(Trabajar) ________________________ tú mucho?
4. Las muchachas (nadar) ________________________ bien.
5. Alejandro y yo (practicar) ________________________ mucho el fútbol.
6. ¿Qué (mirar) ________________________ ellos?
7. Ana y Federico (bailar) ________________________ muy mal.
8. Los amigos (conversar) ________________________ en el café.
9. Ustedes (estudiar) ________________________ idiomas, ¿no?
10. Yo (escuchar) ________________________ música popular.

2-22 ¡Muy ocupados! Complete the paragraph by writing in the correct form of a logical **-ar** verb. Read the entire paragraph before beginning.

Alejandro y Adán (1) ________________________ tenis por las tardes. Andrés no (2) ________________________ tenis; él (3) __________________ historia por la tarde. Carmen (4) ________________________ en la piscina con Susana. Ellas (5) ______________________ mucho. Yo no (6) _____________ en la piscina; yo (7) ________________________ en el parque con mi amigo. Anita (8) ________________________ mucho, especialmente el merengue y la salsa.

2-23 Nuevos amigos. You are chatting with a new classmate. Answer his or her questions in Spanish, in complete sentences.

1. ¿Trabajas? ¿Dónde trabajas?

   ____

2. ¿Qué idiomas habla tu (*your*) padre? (*my* = mi)

   ____

3. ¿Practican español mucho tú y los estudiantes en la clase?

____

4. ¿Con quién caminas todos los días?

____

6. The present tense of *tener* and *tener* expressions

2-24 Tener. Complete each statement with the correct form of **tener**.

1. Tú ______________________ veintidós años.
2. Él y yo ______________ que estudiar esta noche.
3. Carlos y Adela ______________ dos clases esta tarde.
4. Usted ____________________ mucha hambre, ¿no?
5. Nosotras _________________ que hablar con María.
6. Yo ______________________ miedo cuando miro programas de horror.

2-25 Asociaciones. Complete each sentence with the appropriate **tener** expression from page 57 of your textbook, based on the clues in parentheses.

MODELO: Yo ______*tengo miedo*____________. (un programa de horror)

1. Yo ____. (un refresco)
2. Nosotros ____________________________________. (un suéter)
3. Los chicos ___________________________________. (un fantasma)
4. Tú ____. (una hamburguesa)
5. La señora ___________________________________. (mucho tráfico)
6. La bebé _____________________________________. (una siesta)

2-26 Responsabilidades. List three things you have to do tomorrow and three things other people have to do.

MODELO: *Yo tengo que estudiar.*

1. Yo ____.
2. Yo ____.
3. Yo ____.

4. Mis padres ____.

5. Mi amigo ____.

6. El/La profesor/a ______________________________________.

NUESTRO MUNDO

2-27 España. Based on the information from **Nuestro mundo** on pages 62-63 of your textbook, decide if the following statements are **cierto (C)** or **falso (F)**.

C F 1. La pesca *(fishing)* en España es muy mala.

C F 2. Las aceitunas *(olives)* se cultivan en Madrid.

C F 3. En España se producen *(manufacture)* automóviles.

C F 4. SEAT es un coche *(car)* caro.

C F 5. La Iglesia *(Church)* de la Sagrada Familia está en Barcelona.

C F 6. Antoni Gaudí es un director de cine.

C F 7. Pedro Almodóvar es famoso por sus películas *(his movies)*.

C F 8. España tiene una familia real *(royal)*.

TALLER

2-28 La vida de Marisol.

Primera fase. Read the description of Marisol, and then answer the questions.

Marisol es una estudiante muy buena en la Universidad de Navarra. Es de México. Tiene veinte años y es inteligente y muy trabajadora. Habla tres idiomas: español, inglés y francés. Estudia derecho en la universidad y participa en muchas otras actividades. Nada por las tardes y también practica el fútbol. Hoy tiene que estudiar mucho porque mañana tiene un examen de derecho. Ella también tiene una clase de francés. No hay muchos estudiantes en la clase, solamente nueve: tres españoles, dos chilenos, un italiano, dos portugueses y ella. La profesora es española y es muy simpática. Siempre prepara bien la lección para la clase.

1. ¿Quién es Marisol? ______________________________________

2. ¿Dónde estudia? ¿Qué estudia?______________________________

3. ¿Cuántos años tiene Marisol? ______________________________

4. ¿En qué actividades participa Marisol? ______________________

5. ¿Qué tiene que hacer Marisol hoy? ______________________________

6. ¿Cuántos estudiantes hay en la clase de francés? ______________________

7. ¿Cuáles son las nacionalidades de los estudiantes y de Marisol?______________

____

8. ¿Cómo es la profesora de francés? ______________________________

Segunda fase. Now use the questions from the **Primera fase** as models for questions to interview a classmate. Write at least five questions that you can ask. Interview a classmate. Try to complete the student information card for him/her with the information you obtain.

1. ____

2. ____

3. ____

4. ____

5. ____

Nombre: ______________ **Apellido:** ______________

Nacionalidad: ____________ **Edad** (*age*): ____________

Ciudad: ______________ **País:** ______________

Concentración (*major*): ______________________

Clases: ______________ ______________

______________ ______________

______________ ______________

______________ ______________

2-29 Tu vida universitaria. Using the description in Activity **2-28** as a model, write a brief paragraph about yourself and your life in school. Be sure to include your age, description, activities, and responsibilities. First fill in the necessary information for your student identification card.

Nombre: ______________ Apellido: ______________

Nacionalidad: __________ Edad (*age*): __________

Ciudad: ______________ País: ______________

Descripción Física: ______________

____
____
____
____
____
____
____
____
____
____
____
____

Nombre: ____________________________________ Fecha: ____________________

¿CUÁNTO SABES TÚ?

2-30 En la clase. A new student has many questions about the class. Complete her questions with an appropriate interrogative word *(There is more than one possible answer for some questions.)*.

1. ¿____________ no hay un escritorio en la clase?
2. ¿____________ es el examen de español?
3. ¿____________ es el libro de la profesora?
4. ¿____________ mesas hay en la clase?
5. ¿____________ días hay tarea?
6. ¿____________ son los estudiantes españoles?
7. ¿____________ es la profesora Rodríguez?
8. ¿____________ ciudad es la profesora?

2-31 En la cafetería. Imagine that you have just met someone in the cafeteria. He asks you the following questions. How would you answer? Use complete sentences.

1. ¿Cómo te llamas?

   ____

2. ¿De qué país eres?

   ____

3. ¿De qué ciudad eres?

   ____

4. ¿Cómo eres?

   ____

5. ¿Cómo es tu clase de español?

   ____

6. ¿De dónde es el/la profesor/profesora de español?

   ____

2-32 ¿Qué hora es? Match the times given in Spanish with the correct numerical time.

1. _____ mediodía	a. 7:40
2. _____ las tres menos diez	b. 12:00 P.M.
3. _____ las ocho y veinte	c. 3:15
4. _____ las ocho y media	d. 8:20
5. _____ las tres y cuarto	e. 12:00 A.M.
6. _____ las ocho menos veinte	f. 8:30
7. _____ medianoche	g. 2:50

2-33 Mi amiga Luisa. Complete the following descriptions with the correct forms of the verbs in parentheses.

Yo (1. ser) _______________ amigo de Luisa Pons Roy. Ella (2. ser) _______________ de Barcelona. Ella (3. tener) _______________ veinte años y (4. estudiar) _______________ en la Universidad de Barcelona. Luisa (5. tener) _______________ novio. Él se llama Juan Berenguer Castells. Juan (6. ser) _______________ de Barcelona también. Juan y Luisa (7. estudiar) _______________ derecho. Ellos (8. practicar) _______________ el tenis cuando Juan no (9. tener) _______________ que trabajar. ¿(10. Tener) _______________ tú que trabajar hoy?

Nombre: ______________________________ Fecha: ____________________

2-34 Los horarios de vuelo. Read the timetable of AEROMEDitariano flights and answer the following questions. Write all numbers out in Spanish. *(Remember that the twenty-four hour clock is often used for airline schedules.)*

(Horarios sujetos a posibles variaciones)

España - Italia (IDA) **AEROMEDitariano**

RUTA	VUELO°	DÍAS	SALIDA°	LLEGADA°
MADRID-ROMA*	AZ1373	DIARIO	07:55	10:20
MADRID-ROMA*	AZ367	DIARIO	12:50	15:15
MADRID-ROMA*	AZ365	DIARIO	17:55	20:20
MADRID-MILÁN	AZ1377	DIARIO	08:15	10:20
MADRID-MILÁN	AZ1355	DIARIO	12:20	14:25
MADRID-MILÁN	AZ355	DIARIO	18:25	20:30

Teléfonos de Información y Reservas:

- Madrid-Ciudad: 559 95 00 (De lunes a viernes, de 9 a 19h.)
- Aeropuerto de Barajas: 305 43 35 (Todos los días, de 7 a 19h.)
- AEROMED Premium Program: 900 210 599 (De lunes a viernes, de 9 a 17h.)

***Más de 150 conexiones a 40 ciudades de todo el mundo.**

(**vuelo** = *flight*, **salida** = *departure*, **llegada** = *arrival*

1. ¿A qué hora es la salida *(departure)* del vuelo *(flight)* AZ 1373?

   ____

2. ¿Cuántos vuelos diarios hay de Madrid a Milán?

   ____

3. ¿A qué hora es la llegada *(arrival)* del vuelo AZ 1377?

   ____

4. ¿A cuántas ciudades hay conexiones?

   ____

5. ¿Cuál es el número del teléfono de información en Madrid?

   ____

Nombre: ______________________________ Fecha: ________________

LECCIÓN 3 ¿Qué estudias?

PRIMERA PARTE

¡Así es la vida!

3-1 ¿Qué materias vas a tomar? Reread the conversations on page 69 of your textbook and indicate whether each statement is **cierto (C) or falso (F)**. If a statement is false, write the correction in the space provided.

C F 1. Luis tiene su horario de clase.

____

C F 2. Alberto toma una clase de matemáticas.

____

C F 3. La clase de inglés es fácil.

____

C F 4. Luis va a tomar la clase de inglés.

____

C F 5. Carmen toma una clase de matemáticas.

____

C F 6. La clase de biología es a las nueve.

____

C F 7. El profesor Perales tiene una clase a las diez y cuarto.

____

C F 8. Ana estudia cuatro idiomas.

____

¡Así lo decimos!

3-2 El horario de Pedro Arturo. Complete the following passages with the words that appear in the list below. Make any changes that are necessary.

bailar	complicado	exigente	generalmente	gimnasio	inteligente
materias	nadar	solamente	tarea	todo	tomar

Pedro Arturo es un estudiante muy (1) _______________. Tiene un horario muy (2) _______________, porque (3) _______________ muchas (4) _______________. (5) _______________, tiene clases los lunes, miércoles y viernes. El martes (6) _______________ tiene una clase. (7) _____________ los días, Pedro Arturo tiene que hacer muchas (8) _______________ porque sus profesores son muy (9) _______________. Los fines de semana no tiene clases. Va al (10) _________________ a hacer ejercicio y también (11) _______________ en el mar y (12) _______________ en la discoteca con su novia Rebeca.

3-3 Tu horario. Complete the chart to show your class schedule for this semester.

NOMBRE: ____ FECHA: _______________

	9 A.M.	10 A.M.	11 A.M.	12 A.M.	1 P.M.	2 P.M.	3 P.M.	4 P.M.	5 P.M.	6 P.M.
lun.										
mar.										
miér.										
jue.										
vier.										

Nombre: ______________________________ Fecha: ____________________

3-4 ¿Qué clase tienen? Use the cues in parentheses and follow the model to tell what classes these people have.

MODELO: A las diez y cinco, Andrés estudia la relación entre Cortés y Moctezuma y los conflictos entre los españoles y los aztecas.
Andrés tiene una clase de historia.

1. A la una y cuarto, estudiamos fórmulas y ecuaciones como 2a+b = x-y/z.
(Nosotros) ______________________________

2. A las siete y veinticinco de la noche, estudias la historia del Canadá.
(Tú) ______________________________

3. A las nueve menos cinco, Paco estudia instrumentos y ritmos de varias culturas.
(Él) ______________________________

4. A las doce y media, Sofía estudia carbonos óxidos, dióxidos (*carbon monoxides, dioxides*), etcétera.
(Ella) ______________________________

5. A las once y cuarto, mis amigos estudian el dinero, los precios (*prices*) de productos nacionales y el mercado (*market*) del país.
(Ellos) ______________________________

6. A las cuatro y cuarto, yo estudio las novelas de Carlos Fuentes y otros novelistas mexicanos.
(Yo) ______________________________

7. A las siete menos diez, Andrés estudia los animales y las plantas en los parques nacionales.
(Él) ______________________________

¡Así lo hacemos! Estructuras

1. Numbers 100 – 1.000.000

3-5 ¿Cuánto? Do the following mathematical problems. Then, choose the correct answer from the options given below.

1. 101 + 14 = __________

   a. ciento cincuenta   b. ciento quince   c. cincuenta y cinco

2. 89.000 + 12 = ________

   a. ochenta y nueve mil, doce   b. ochenta mil, novecientos doce

   c. ochenta y nueve mil, ciento doce

3. 10 x 10.000 = ________

   a. mil cien   b. cien millones   c. cien mil

4. 500.000 – 99.797 = _______

   a. cuatro mil, doscientos tres   b. cuatrocientos mil, doscientos tres

   c. cuatrocientos mil, doscientos trece

5. 454.250 x 2 = ________

   a. noventa y ocho mil, quinientos   b. novecientos ocho mil, cincuenta

   c. novecientos ocho mil, quinientos

3-6 En la librería. You are taking inventory in the bookstore. Spell out the numbers for each item in Spanish. Remember to watch agreement.

1. 601 ____ calculadoras
2. 202 ____ luces
3. 101 ____ mapas
4. 124 ____ relojes
5. 10.212 ____ diccionarios
6. 1.500.000 _______________________________________ libros
7. 1.216 ____ lápices
8. 799 ____ computadoras
9. 10.001 ____ tizas
10. 1.700 ____ borradores

Nombre: ______________________________ Fecha: __________________

3-7 La Loto. Answer the following questions in Spanish based on the information provided.

LA LOTO		Escrutinio	
28 de mayo		Acertantes	Pesos
Combinación ganadora:	6	1	4.256.090
2 17 25 35 37 48	5+c	4	447.056
	5	101	7.082
Complementario: 31 Reintegro 7	4	6.775	167
	3	123.439	22

1. ¿Cuál es la fecha del sorteo *(draw)*?

   ____

2. ¿Cuál es la combinación ganadora (*winning*)?

   ____

3. ¿Cuántos pesos gana (*wins*) el único acertante (*winner*)?

   ____

4. ¿Cuántos acertantes tienen todos los números?

   ____

5. ¿Cuántos acertantes hay con cuatro números?

   ____

6. ¿Cuántos pesos gana cada uno (*each one*) de los acertantes que tiene tres números?

   ____

2.Possesion

3-8 Mis amigos. Complete David's description of his friends with the correct form in Spanish of the possessive adjective in parentheses.

(1. *Our*) _______________ amigos José y María van a (2. *our*) _______________ universidad. (3. *Their*) _______________ horarios son diferentes. María tiene cuatro clases. (4. *Her*) _______________ clases son matemáticas, informática, biología y química. (5. *Her*) _______________ clases favoritas son química y biología porque

(6. *her*) _______________ profesores no son muy exigentes. José tiene cuatro materias también. (7. *His*) _______________ materias son literatura, francés, música y psicología. (8. *His*) _______________ materia favorita es música. José y María tienen muchos amigos. (9. *Their*) _______________ amigos son (10. *my*) _______________ amigos también. ¿Cómo son (11. *your – inf.*) _______________ amigos? ¿Vas a ser (12. *my*) _______________ amigo/a, ¿verdad?

3-9 ¿De quiénes son estos objetos? Identify to whom these objects belong.

MODELO: ¿De quién es la mochila? (Sara)
La mochila es de Sara. Es su mochila.

1. ¿De quién es el bolígrafo verde? (el profesor)

____

2. ¿De quién es el libro grande? (Ana y Sofía)

____

3. ¿De quién es la mochila? (Evangelina)

____

4. ¿De quién son los lápices morados? (Alberto)

____

5. ¿De quién es el cuaderno? (el chico)

____

6. ¿De quién son los diccionarios? (él)

____

7. ¿De quién es la calculadora? (usted)

____

8. ¿De quién es el horario de clases? (ustedes)

____

9. ¿De quiénes son los microscopios? (las estudiantes de biología)

____

10. ¿De quién son los papeles? (la profesora)

____

Nombre: ______________________________ Fecha: __________________

3-10 ¿Es tu. . . ? Your friend is trying to find out to whom these things belong. Write the answer to each of his questions negatively, and then give him the correct answer.

MODELO: ¿Son tus libros? (Esteban)
No, no son mis libros. Son los libros de Esteban.

1. ¿Es tu diccionario? (el estudiante francés)

 ____

2. ¿Son de ustedes los bolígrafos? (tu amigo)

 ____

3. ¿Son sus libros, señor? (José Antonio)

 ____

4. ¿Es de ustedes la clase? (los estudiantes argentinos)

 ____

5. ¿Es tu calculadora? (Paco)

 ____

6. ¿Son tus lápices? (la profesora)

 ____

7. ¿Es su profesora, Juan y Ana? (María Cristina)

 ____

8. ¿Es su borrador, profesor? (la chica dominicana)

 ____

3. The present tense of *hacer* and *ir*

3-11 En la residencia estudiantil. Complete the description of what the students do at their dorm with the correct form of **hacer**.

Mis amigas y yo vivimos en la residencia estudiantil de nuestra universidad y nosotras (1) ______________ muchas cosas todo el día. Por la mañana, yo (2) ______________ ejercicio en el gimnasio y mi amiga Elisa (3) ______________ su tarea. Por la tarde mis otras amigas Marta y Mirta (4) ______________ su trabajo. Por la noche, ellas (5) ______________ la comida y siempre (6) ______________ hamburguesas. ¿Qué (7) ______________ tú en la residencia estudiantil? ¿Qué vas a (8) ______________ este fin de semana?

3-12 ¿Adónde van? Complete each sentence with the correct form of **ir** to show where each person is going.

1. Marcos ________________________ a la universidad.
2. Susana y yo ________________________ a la librería.
3. Yo ________________________ a la biblioteca.
4. Los estudiantes ________________________ a la cafetería.
5. La profesora ________________________ al gimnasio.
6. Beto y Maribel ________________________ a la Facultad de Idiomas.
7. ¿Tú ________________ a una fiesta?
8. Amalia y tú (ir) ________________________ a la discoteca el sábado, ¿no?

3-13 ¿Qué va a hacer? Match each of the sentences given with a logical related statement.

MODELO: Tenemos mucha hambre.
Vamos a comer a la cafetería.

1. ____Pepe tiene mucha sed.	a. Vas a ir al gimnasio.
2. ____Carlos y Juan están muy cansados.	b. Van a ir a una fiesta.
3. ____Laura y Virgilio están muy aburridos.	c. Van a dormir la siesta.
4. ____Yo tengo un examen mañana.	d. Voy a estudiar en la biblioteca.
5. ____Tú tienes que hacer ejercicio.	e. Va a beber agua mineral.

Nombre: ______________________________ Fecha: ____________________

3-14 Mañana. These activities will all take place tomorrow, not today. Change each of the following statements so they indicate the future.

MODELO: Estela estudia hoy.
Estela va a estudiar mañana.

1. Bernardo practica el béisbol hoy.

____

2. Necesito mi calculadora hoy.

____

3. Vamos al concierto esta noche.

____

4. Elena conversa con sus amigos esta tarde.

____

5. Nuestros padres llegan tarde esta noche.

____

6. Raúl y tú van al gimnasio.

____

3-15 ¿Qué vas a hacer esta noche? Answer the following questions in complete sentences.

MODELO: ¿Qué vas a hacer esta noche?
Voy a hacer la tarea de español / conversar con mis amigos / nadar en la piscina / etc.

1. ¿Qué vas a hacer mañana por la mañana?

____

2. ¿Qué vas a hacer el sábado por la noche?

____

3. ¿Qué vas a hacer el domingo por la tarde?

____

SEGUNDA PARTE

¡Así es la vida!

3-16 ¿Cierto o falso? Reread the conversations on page 81 of your textbook and indicate whether each statement is **cierto (C)** or **falso (F)**. If a statement is false, write the correction in the space provided.

C F 1. Son las once y media de la noche.

____

C F 2. Ana Rosa y Carlos hablan en clase.

____

C F 3. Ana Rosa va a beber un refresco antes de ir a la biblioteca.

____

C F 4. Ana Rosa necesita un diccionario para escribir una composición.

____

C F 5. La librería está a la derecha de la Facultad de Matemáticas.

____

C F 6. Carlos necesita escribir una novela para la clase de literatura.

____

C F 7. Carlos está leyendo una novela difícil.

____

C F 8. La especialidad de Marisa es literatura.

____

C F 9 Marisa vive cerca de la universidad.

____

C F 9. Carlos va a buscar a Marisa mañana.

____

¡Así lo decimos!

3-17 ¡Fuera de lugar! Circle the letter corresponding to the word or expression that does not fit in each group.

1. a. ensalada
   b. jugo
   c. leche
   d. café

2. a. sucio
   b. hamburguesa
   c. sándwich
   d. ensalada

3. a. desayuno
   b. cena
   c. almuerzo
   d. comer

4. a. enfrente
   b. cansado
   c. al lado
   d. delante

3-18 Consejos. Match the following situations with the appropriate advice from the right-hand column.

1. _____ Creo que estoy enfermo. Tengo calor y mucha sed.
2. _____ Tengo un examen difícil en la clase de literatura.
3. _____ Mis amigos tienen mucha hambre.
4. _____ Tenemos interés en hablar otra lengua.
5. _____ Tenemos que escribir una composición para la clase de español.

a. Es necesario preparar un almuerzo magnífico.
b. Hay que asistir a una clase de francés.
c. Hay que comprar un diccionario de español.
d. Es necesario beber mucha agua.
e. Es necesario leer muy bien la novela.

3-19 La universidad. Some new students on campus need help finding their classes. Answer their questions based on the campus map and following the model.

MODELO: ¿Dónde es la clase de anatomía?
*Es en la Facultad de Medicina que (*that*) está al frente de la cafetería.*

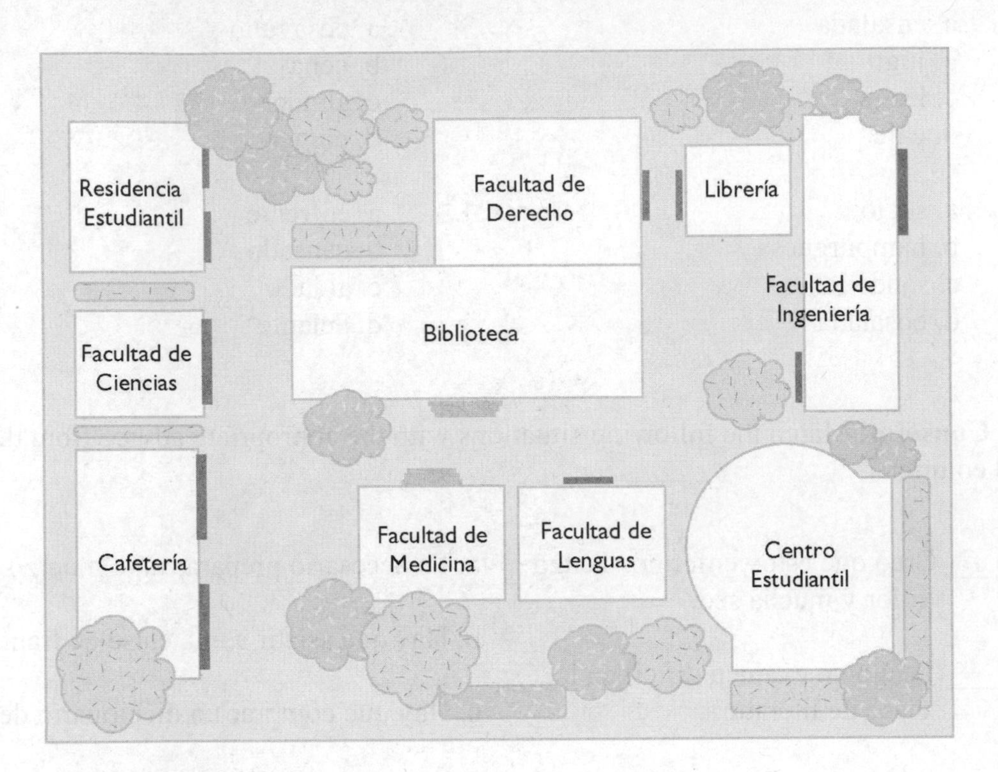

1. ¿Dónde es la clase de derecho?

____

2. ¿Dónde es la clase de ingeniería?

____

3. ¿Dónde es la clase de alemán?

____

4. ¿Dónde es la clase de química?

____

Nombre: ___________________________________ Fecha: ____________________

¡Así lo hacemos! Estructuras

4. The present tense of *estar*

3-20 En el teléfono. Complete the phone conversation between Alfredo and Teresa with the correct form of **estar**.

Alfredo: ¡Hola Teresa! ¿Cómo (1) ______________?

Teresa: (2) ___________ bien, gracias, ¿y tú?

Alfredo: (3) ______________ bien también. Oye, ¿dónde (4) ___________ Ricardo?

Teresa: Él (5) ______________ en su casa porque (6) ___________ muy ocupado.

Alfredo: Y, ¿dónde (7) _____________ Rafaela y Sandra?

Teresa: Ellas (8) ____________ enfermas. Pero ahora yo (9) __________ preocupada. No sé (*know*) dónde (10) ___________mi novio.

Alfredo: ¿Tu novio? ¿Pedro? Ay, Teresa. . . Pues el (11) ____________ en un concierto en un teatro que (12) __________ cerca de aquí. Él (13) _______________ con Viviana Benavides.

Teresa: ¡Con Viviana Benavides! ¡Mañana va a (14) ____________ muerto!

3-21 ¿Cómo están? Describe the probable feelings or conditions of each person using **estar** and one of the adjectives below. Remember to watch agreement.

aburrido	cansado	enfermo	enojado
nervioso	ocupado	preocupado	triste

1. ¡Tengo un examen muy importante hoy!
   Yo ____.
2. Tienen que leer una novela, escribir una composición y estudiar para un examen.
   Ellos ____.
3. No estudiamos más. Es medianoche.
   Nosotros ____.
4. El profesor de historia habla y habla y habla. No es interesante.
   Tú y yo ____.

5. El perro (*dog*) de Benito está muerto (*dead*).

Benito ____.

6. Tú llegas muy tarde a casa sin (*without*) llamar por teléfono.

Tus padres ____.

7. Mi novia no está bien. Va al hospital.

Ella ____.

8. Víctor necesita mucho dinero *(money)* para pagar por sus libros.

Él ____.

5. The present progressive

3-22 Una conversación por teléfono. Complete the following phone call between Felipe and his mother. Using the present progressive and the cues in parentheses, write her answers in the spaces provided. The first one has been done for you.

Felipe: ¡Hola, mamá! ¿Qué estás haciendo?

Mamá: (preparar la comida) *Estoy preparando la comida.*

Felipe: ¿Y Alberto?

Mamá: (1. jugar al fútbol) ____

Felipe: ¿Y Belinda y Felo?

Mamá: (2. escuchar música) ____

Felipe: ¿Y Érica?

Mamá: (3. preparar la cena) ____

Felipe: ¿Y mi perro?

Mamá: (4. comer) ____

Felipe: Bueno, hasta pronto, mamá.

Mamá: Adiós, hijo.

Nombre: ______________________________ Fecha: ____________________

3-23 ¡Muchas actividades! Describe what each person in the house is doing using the following expressions in the present progressive.

aprender a cantar	hacer ejercicios
comer hamburguesas	mirar la televisión
escribir una carta	preparar el almuerzo
escuchar música	conversar con sus amigos
hablar por teléfono	tocar la guitarra

MODELO: Ana está escuchando música.

1. Margarita ____.
2. Pepe ____.
3. Clara ____.
4. Chonín ____.
5. Marta ____.
6. Felipe ____.
7. Alfredo ____.
8. Esteban ____.
9. Olga ____.

6. Summary of uses of *ser* and *estar*

3-24 Mi pequeño mundo. Complete the descriptions of the following people with the correct forms of **ser** or **estar**.

1. Mi novio ______________ alto y delgado. ______________ ecuatoriano, pero ahora ______________ en el Canadá. ______________ un chico muy trabajador. ______________ trabajando en una librería esta tarde. Él ______________ contento aquí porque toda la familia ______________ aquí también.
2. Mis primas ______________ bonitas, pero esta noche ______________ más bonitas porque van a una fiesta con sus novios. La fiesta ______________ a las nueve. ______________ las ocho ahora y ellas ______________ muy contentas. La fiesta ______________ en casa de una amiga.
3. Mis padres ______________ fantásticos. Ellos ______________ amables y aún (*still*) ______________ enamorados. Su aniversario ______________ mañana. Ellos ______________ muy trabajadores. Mi madre ______________ abogada y mi padre ______________ profesor. Yo ______________ muy contenta con mis padres.

3-25 ¡A escribir! Write complete questions using the words in parentheses and the correct form of **ser** or **estar**. Follow the model.

MODELO: ¿tu familia? (española)
¿Es española tu familia?

1. ¿tu amiga Viviana? (joven) ______________________________
2. ¿tus amigos Pedro y Pablo? (chilenos) ______________________________
3. ¿tú? (contento) ______________________________
4. ¿tus amigos? (listos para ir a la biblioteca) ______________________________
5. ¿tu profesora de francés? (alta) ______________________________
6. ¿tu madre? (abogada) ______________________________
7. ¿tu perro? (enfermo) ______________________________

Nombre: ________________________________ Fecha: __________________

3-26 Entrevista. Answer these questions about yourself and your family by using the correct forms of **ser** or **estar**.

MODELO: tú
¿enfermo/a?
Sí, estoy enfermo/a. (or) No, no estoy enfermo/a.

tu papá / mamá / hijo/a

1. ¿de Ontario? ________________________________
2. ¿en la universidad ahora? ________________________________
3. ¿grande? ________________________________
4. ¿trabajando? ________________________________

tú

5. ¿una buena persona? ________________________________
6. ¿listo/a? ________________________________
7. ¿listo/a para ir al cine? ________________________________
8. ¿estudiando? ________________________________
9. ¿alto/a? ________________________________

ustedes (tú y tus padres / hijos)

10. ¿españoles? ________________________________
11. ¿en casa? ________________________________
12. ¿contentos? ________________________________

7. The present tense of regular *–er* and *–ir* verbs

3-27 Mis amigas. Complete the description of your friends with the correct form of the verb in parentheses.

Mis amigas Bárbara, Isabel y Victoria (1. vivir) ______________ en la residencia estudiantil. Ellas (2. aprender) ____________ inglés en la universidad y (3. asistir) ________________ a clase por la mañana. Isabel y Bárbara (4. escribir) ________________ inglés muy bien, pero Victoria no (5. leer) ______________ inglés muy bien. Yo (6. creer) ______________ que ella (7. deber) ________________ estudiar más. Al mediodía, cuando

(8. abrir) ______________ la cafetería, ellas (9. comer) ________________ allí. Yo también (10. comer) ________________ con ellas en la cafetería. Victoria y yo solamente (11. comer) ________________ ensalada y (12. beber) ________________ jugo. Isabel y Bárbara (13. comer) ______________ hamburguesas y (14. beber) __________________ agua mineral. Mis amigas (15. creer) ______________ que es bueno ir al gimnasio después del almuerzo, pero yo (16. creer) ______________ que es mejor tomar una siesta. Y tú, ¿dónde (17. vivir) ______________?

3-28 Preguntas y respuestas. Here are some questions a new friend asks you. Complete each question with the correct form of the verb in parentheses, and then answer it.

1. ¿Qué (aprender) _________________________ en la universidad?
   ____

2. ¿A qué hora (abrir) _________________________ el centro estudiantil?
   ____

3. ¿Qué (beber) _________________________ con el almuerzo?
   ____

4. ¿Qué (deber) _________________________ hacer por la tarde?
   ____

5. ¿Qué (leer) _________________________ en la clase de inglés?
   ____

6. ¿(Creer) _________________________ que es bueno dar un paseo después del almuerzo?
   ____

7. ¿Qué (hacer)_________________________ hoy por la noche?
   ____

8. ¿A qué clases (asistir)_________________________ hoy?
   ____

Nombre: ______________________________ Fecha: ____________________

NUESTRO MUNDO

3-29 ¡México lindo! Based on the information from **Nuestro mundo** on pages 96-97 of your textbook, decide whether the following statements are **cierto (C)** or **falso (F)**.

C F 1. En Oaxaca hay una variedad de artesanía de madera.

C F 2. Las maquiladoras son importantes para la economía de los EE.UU.

C F 3. Los trabajadores de las maquiladoras ganan *(earn)* mucho dinero.

C F 4. Los mariachis tocan música moderna.

C F 5. Estudiantes de muchos países estudian en El Tec de Monterrey.

C F 6. Los estudiantes principiantes toman clases de ingeniería.

C F 7. La Isla de Cozumel es un lugar muy turístico.

C F 8. Los mayas tenían *(had)* una civilización muy avanzada.

C F 9. Frida Kahlo es famosa por su música.

3-30 La investigación. Select and research one of the following topics related to México. Use the Internet or library resources and prepare a brief presentation in English or Spanish to present to the class. The presentation can be visual (a poster with images and captions), a report, a summary, etc.

1. Popular dishes
2. The President and political groups
3. Indigenous groups
4. A famous artist or writer

TALLER

3-31 Una conversación entre amigos.

Primera fase. Alejandro and Tomás are at their favorite café. Read their conversation, and then answer the questions.

Alejandro: ¡Hola, Tomás! ¿Qué hay?
Tomás: Pues estoy aquí porque estoy muerto de cansancio. ¡Hoy no estudio más!
Alejandro: Chico, ¿por qué estás cansado?
Tomás: ¡Ay! Tengo que trabajar en el centro estudiantil hoy y mañana, tengo que escribir una composición para la clase de literatura, necesito estudiar para un examen de química y el cumpleaños de mi novia es el jueves. Hay una fiesta para ella en mi apartamento el viernes y hay que preparar todo. . .
Alejandro: ¡Tranquilo, hombre! Soy tu amigo y no estoy ocupado esta semana. Voy a ayudarte (*help you*). ¿Qué necesitas?
Tomás: Hay que preparar comida y comprar refrescos para la fiesta.
Alejandro: Está bien. Yo hago eso.
Tomás: ¡Muchísimas gracias! ¡Tú sí eres mi amigo!

1. ¿Cómo está Tomás?

   ____

2. ¿Cuándo trabaja Tomás?

   ____

3. ¿Para qué clase tiene que escribir una composición?

   ____

4. ¿En qué clase tiene examen?

   ____

5. ¿Qué hay en el apartamento de Tomás el viernes? ¿Por qué?

   ____

6. ¿Cómo va a ayudar Alejandro a Tomás?

   ____

Nombre: ______________________________ Fecha: ____________________

Segunda fase. Using the conversation from the **Primera fase** as a model, write a short dialogue between you and a classmate, in which you ask him or her about the following topics:

mood/feelings today	schedule (today, this weekend, etc.)
classes and class times today	homework and exams

Tú: ______________________________

Tu amigo/a: ______________________________

Tú: ______________________________

Tu amigo/a: ______________________________

Tú: ______________________________

Tu amigo/a: ______________________________

Tú: ______________________________

Tu amigo/a: ______________________________

Tú: ______________________________

Tu amigo/a: ______________________________

Tú: ______________________________

Tu amigo/a: ______________________________

¿CUÁNTO SABES TÚ?

3-32 Los números. Match the numbers with their written equivalents.

1. _____ cinco mil ciento cincuenta y cinco — a. 1.001
2. _____ doscientos veintidós mil ochocientos veintitrés — b. 515
3. _____ mil uno — c. 222.823
4. _____ veintidós mil doscientos ochenta y tres — d. 5.155
5. _____ quinientos quince — e. 22.283

3-33 La posesión. Match each possessive adjective with the item. Watch for gender and number agreement.

1. _____ nuestros	a. la computadora de ella
2. _____ vuestro	b. la calculadora de nosotros
3. _____ nuestra	c. los horarios de ustedes
4. _____ su	d. los microscopios de nosotros
5. _____ sus	e. el diccionario de vosotros
6. _____ vuestros	f. los mapas de vosotros

3-34 El verbo *tener*. Match each **tener** expression with the most logical statement.

1. _____ La temperatura exterior es 40º C.	a. Tengo miedo.
2. _____ La capital de España es Madrid.	b. Tengo sed.
3. _____ Veo una película de terror.	c. Tengo frío.
4. _____ La temperatura exterior es -5º C.	d. Tengo calor.
5. _____ Hago ejercicio por dos horas.	e. Tengo cuidado.
6. _____ Está nevando *(snowing)* y voy en coche.	f. Tengo razón.

3-35 Los verbos *ser* y *estar*. Complete Vicente's description with the correct forms of **ser** or **estar**.

—¡Hola! ¿Cómo te llamas? ¿De dónde (1) ________________?

—Me llamo Vicente Bernardo Balvuena Estévez. (2) ________________ mexicano, pero mis padres (3) ________________ venezolanos. Ellos (4) ________________ de Mérida, Venezuela, pero ahora todos nosotros (5) ________________ en la Ciudad de México que (6) ________________ la capital del país y una ciudad muy bonita. La Ciudad de México (7) ________________ muy grande. En la capital voy a muchos conciertos que (8) ________________ divertidos. Esta noche voy a ir a un concierto de Santana. El concierto (9) ________________ a las diez de la noche. (10) ________________ en el teatro que (11) ________________ cerca de mi casa. Voy con un amigo porque mi novia (12) ________________ enferma.

3-36 Actividades. Describe what each person is doing with the correct form of each verb in parentheses.

1. Adela (asistir) ____________________ a la clase de francés mientras yo (escribir) ____________________ una composición.
2. Mis padres (leer) ____________________ un libro mientras mi hermanita (aprender) ____________________ a bailar.
3. Yo (comer) ____________________ una ensalada mientras tú (beber) ____________________ un refresco.
4. Mi novio (abrir) ____________________ la puerta de la biblioteca mientras nosotros (leer) ____________________ un libro.

Nombre: ______________________________ Fecha: ____________________

LECCIÓN 4 ¿Cómo es tu familia?

PRIMERA PARTE

¡Así es la vida!

4-1 ¿Recuerdas? Reread the e-mail on page 105 of your textbook and answer the following questions in Spanish, using complete sentences.

1. ¿De quién recibe un correo electrónico Juan Antonio?

   ____

2. ¿De dónde son Juan Antonio y Ana María?

   ____

3. ¿Con quién está Ana María ahora?

   ____

4. ¿Qué son los padres de Ana María?

   ____

5. ¿Cuántos hermanos tiene Ana María y cómo se llaman?

   ____

6. ¿Cuántos años tienen?

   ____

7. ¿Quiénes son Julia y Rosendo?

   ____

8. ¿Quién es Pedrito?

   ____

9. ¿Adónde va la familia de Ana María en agosto?

   ____

10. ¿Cuándo regresa Ana María a la universidad?

    ____

¡Así lo decimos!

4-2 La familia de Ana María. Using the family tree as a guide, answer the following questions from the point of view of Ana María.

MODELO: ¿Quién es Ernesto?
Es mi hermano.

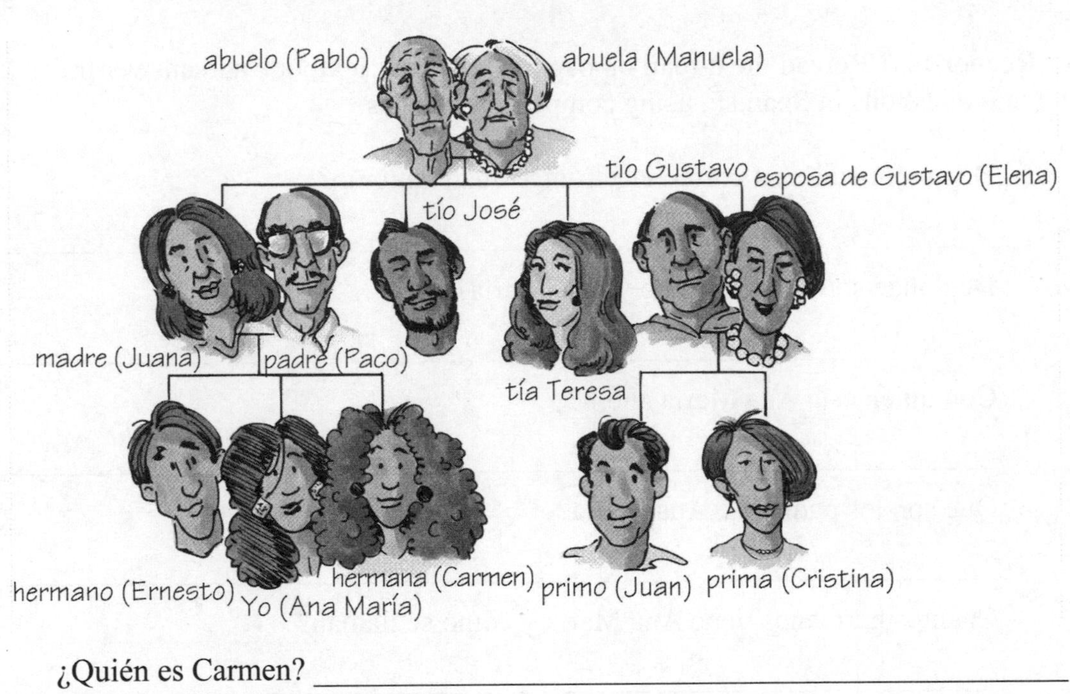

1. ¿Quién es Carmen? ______________________
2. ¿Quién es Teresa? ______________________
3. ¿Quiénes son Juana y Paco? ______________________
4. ¿Quiénes son Gustavo y Elena? ______________________
5. ¿Quién es Manuela? ______________________
6. ¿Quiénes son Juan y Cristina? ______________________

4-3 Tu familia. Describe your family relationships by completing each sentence with a word from **¡Así lo decimos!**

1. El padre de mi padre es mi ______________________.
2. La hermana de mi madre es mi ______________________.
3. El esposo de mi hermana es mi ______________________.
4. Los hijos de mi hermana son mis ______________________.
5. La esposa de mi padre es mi ______________________.
6. Las hijas de mi tío son mis______________________.

7. La madre de mi esposo es mi ______________________________.
8. El hijo de mis padres es mi ______________________________.
9. Los padres de mi madre son mis ______________________________.
10. El hijo de mi hija es mi ______________________________.

4-4 Preguntas personales. Answer the following questions about your family, in Spanish.

1. ¿De dónde son tus abuelos?

____

2. ¿Viven tus abuelos cerca o lejos de tu casa?

____

3. ¿Tienes hermanos o hermanas? ¿Son mayores o menores?

____

4. ¿Tienes muchos primos?

____

5. ¿Dónde viven ellos?

____

6. ¿Cuántas tías tienes?

____

7. ¿Cómo es tu madre?

____

8. ¿Dónde trabajan tus padres?

____

¡Así lo hacemos! Estructuras

1. The present tense of stem-changing verbs: e→ie, e→i, o→ue

4-5 Un día en la vida de Tomás. Complete the description of a typical day for Tomás with the correct form of each verb in parentheses.

Todos los días, Tomás (1. tener)________________ que ir a tres clases. La primera clase (2. empezar) ________________ a las ocho de la mañana y, a esa hora, Tomás está cansado. Cuando (3. poder) ________________, (4. preferir) ________________ dormir y generalmente (5. dormir) ________________ hasta muy tarde. A las doce y media, (6. almorzar) ________________. Casi siempre (7. pedir) ________________ una hamburguesa en el centro estudiantil. Según Tomás, el centro (8. servir) ________________ muy buenas hamburguesas. A las dos, (9. volver) ________________ a su residencia y hace la tarea. Él (10. querer) ________________ salir, pero estudiar es muy importante. A las cuatro él y unos amigos (11. jugar) ________________ al fútbol. Él (12. pensar) ________________ que (13. jugar) ________________ bien, ¡pero sus amigos (14. decir) ________________ que no! Después, Tomás cena en la cafetería porque (15. pensar) ________________ que la comida es bastante buena ahí.

4-6 ¿Qué hacen? Describe what is going on at home by choosing one of the verbs or verb phrases from the list to complete each of the sentences logically.

dormir   jugar   preferir hablar   querer   servir   soñar

1. Nosotros ________________________________ la comida.
2. Nuestros padres ________________________________ con las vacaciones.
3. Mis tías ________________________________ de sus hijos.
4. Mi prima ________________________________ ir a una discoteca.
5. Yo ________________________________ hasta las once de la mañana.
6. Mi hermana y su novio ________________________ al fútbol con nuestros primos en el jardín.

Nombre: ______________________________ Fecha: ____________________

4-7 Tu familia. Answer these questions about your family, in complete sentences.

1. ¿Tienes muchos hermanos?

____

2. ¿Vienen ellos a la universidad?

____

3. ¿Qué prefieres hacer cuando estás con tus hermanos?

____

4. ¿Piensas visitar a tu familia pronto? ¿Cuándo?

____

5. ¿Entienden español tus padres?

____

6. Generalmente, ¿a qué hora almuerzan en tu casa?

____

7. ¿Qué sirven para el almuerzo?

____

8. ¿Qué prefieres hacer con tu familia?

____

2. Formal commands

4-8 En el laboratorio. You work in the biochemistry laboratory as an assistant and your professor is giving you instructions about what to do. Use the **usted** command form of the verbs in parentheses.

1. (Estar) ____________________ a las ocho en el laboratorio.
2. (Buscar) ____________________ el microscopio.
3. (Abrir) ____________________ el libro.
4. (Leer) ____________________ las instrucciones.
5. (Seguir) ____________________ las instrucciones.
6. (Mirar) ____________________ por el microscopio.
7. (Hacer) ____________________ la fórmula.

8. (Ir) ________________ a la pizarra.
9. (Escribir) ________________ el resultado en la pizarra.
10. (Terminar) ________________ el experimento.
11. (Llamar) ________________ al profesor Sánchez si hay problemas .
12. (Volver) ________________ mañana por la mañana.

4-9 Rosalía y Felipe. Rosalía and Felipe are about to get married. Here is what Rosalía's grandfather advises them to do in order to have a successful marriage. Use the **ustedes** command form of the verbs in parentheses.

1. (Vivir) ________________ en el presente, pero (pensar) ________________ en el futuro.
2. (Hablar) ________________ de deportes, pero no (conversar) ________________ de política.
3. (Comer) ________________ poco y (dormir) ________________ ocho horas todos los días.
4. (Trabajar) ________________ mucho y (comprar) ________________ poco.
5. (Jugar) ________________ mucho y (reñir) ________________ poco.
6. (Querer) ________________ a sus suegros y (pedir) ________________ ayuda si la necesitan.
7. (Recordar) ________________ y (seguir) ________________ mis consejos.

Nombre: ____________________________________ Fecha: ____________________

4-10 Diferencias de opinión. Your aunt and uncle cannot agree what to do, and give you conflicting instructions. Follow the model.

MODELO: ¿Traemos los refrescos?
—Sí, traigan los refrescos.
—No, no traigan los refrescos.

1. ¿Preparamos la comida?

   ____

2. ¿Venimos a las tres?

   ____

3. ¿Abrimos las ventanas?

   ____

4. ¿Conversamos con nuestros abuelos?

   ____

5. ¿Jugamos al tenis con nuestras primas?

   ____

6. ¿Comemos a las ocho de la noche?

   ____

7. ¿Miramos la televisión?

   ____

8. ¿Leemos una novela?

   ____

SEGUNDA PARTE

¡Así es la vida!

4-11 Una invitación. Complete the sentences according to the dialogue on page 120 of your textbook.

1. Raúl llama a Laura para ver si ella ______________________________.
2. El cine se llama ______________________________.
3. En el cine están presentando ______________________________.
4. Laura le pregunta a Raúl ______________________________.
5. La película empieza ______________________________.
6. Raúl va a pasar por Laura ______________________________.
7. ____________________ va a pagar por las entradas.

¡Así lo decimos!

4-12 ¿Adónde vas para...? Match the activities in the first column with the places where you would do them in the second.

1.	_____ Para tomar el sol…	a. voy al parque.
2.	_____ Para conversar con mis amigos…	b. voy a la playa.
3.	_____ Para ver una película…	c. voy al teatro.
4.	_____ Para ir de compras…	d. voy al centro.
5.	_____ Para correr…	e. voy a un café al aire libre.
6.	_____ Para asistir a un concierto…	f. voy al cine.

4-13 ¿Vamos al cine? Respond to the following invitations with one of the expressions from **¡Así lo decimos!**, according to whether you would like to go or not.

1. ¿Vamos al cine esta noche?

   ____

2. ¿Quieres ir a un partido de fútbol este domingo?

   ____

3. ¿Vamos a correr por el parque mañana?

   ____

4. ¿Puedes ir de compras conmigo *(with me)* el sábado por la tarde?

   ____

5. ¿Quieres ir a dar un paseo más tarde?

   ____

¡Así lo hacemos! Estructuras

3. Direct objects, the personal *a*, and direct object pronouns

4-14 El fin de semana. Complete the descriptions of weekend plans with the personal **a** when needed.

1. Esteban va a ver _________

   ______ Jorge y _______________ Gustavo.
2. Llevo _______________ mis hermanos a dar un paseo.
3. Vemos _______________ una película en el cine Rialto.
4. Invito _______________ Daniel a pasear por el centro.
5. Edmundo tiene _______________ amigos peruanos y va a visitarlos.
6. Marta y tú llevan _______________ los refrescos para la fiesta.
7. Ana compra _______________ las entradas para asistir a un partido.
8. Vamos a invitar _______________ nuestros tíos a ir a la playa.
9. Eduardo y Mario llaman por teléfono _______________ sus amigos.
10. Mi mamá va a visitar _______________ un museo.

4-15 ¡A completar! Complete each sentence with the direct object pronoun that corresponds to the first subject.

MODELO: *Nosotros* debemos esperar aquí porque tu madre __*nos*__ busca.

1. *Yo* no puedo ir al centro porque mis padres _______________ necesitan.
2. *Tú* siempre llamas a María pero ella no _______________ llama.
3. *Marta y Laura* viven lejos, pero yo siempre _______________visito.
4. *Yo* hablo con mi hermano, pero él no _______________ escucha.
5. *Ustedes* miran a las chicas correr por el parque, pero ellas no _______________ ven.
6. *Ella* te quiere mucho, pero tú no _______________ quieres.
7. *Carlos y Adrián* buscan a Marisa para conversar en un café, pero ella no _______________ ve.
8. *Él* quiere a su novia pero ella no _______________ quiere a él.

4-16 Frases redundantes. Rephrase the second of each pair of sentences using a direct object pronoun to avoid unnecessary repetition.

MODELO: Hay dos entradas en la mesa. Mi esposo busca dos entradas.
Mi esposo las busca.

1. Yo tengo tres primas. Yo llamo a mis primas todos los días.

   ____

2. Tu abuela es divertida. Mi tía visita mucho a tu abuela.

   ____

3. Bebemos muchos refrescos en casa. Mi madre compra refrescos.

   ____

4. Los padres de mi padrastro viven cerca. Mi padrastro invita a sus padres a comer en casa todos los viernes.

   ____

5. Tu coche es muy grande. Tu cuñado necesita tu coche esta semana.

   ____

6. Creo que éstas *(these)* son las novelas de sus sobrinos. Sus sobrinos buscan sus novelas.

   ____

7. Tu mapa tiene mucha información. Nuestra sobrina mira tu mapa.

   ____

8. Necesitan dos hamburguesas y una ensalada para el almuerzo. Su madrina prepara dos hamburguesas y una ensalada.

   ____

4-17 Los planes. You and a friend are planning a day trip and deciding who to invite and what to bring. Answer the questions, based on the cues in parentheses.

MODELO: - ¿Necesitamos los mapas? (no)
- *No, no los necesitamos.*

1. - ¿Invitamos a Cristina y a Susana? (sí)

   - ____

2. - ¿Llamamos al profesor? (no)

   - ____

3. - ¿Tenemos que preparar la comida? (sí)

   - ____

4. - ¿Vamos a comprar los refrescos? (sí)

   - ____

5. - ¿Vamos a usar el coche? (sí)

   - ____

6. - ¿Necesitamos llevar la cámara? (no)

   - ____

7. - ¿Podemos visitar la playa? (no)

   - ____

4-18 La llamada. Your mother calls to find out what everyone in your family is doing. Answer her questions by using the progressive form of the verb and the direct object pronoun.

MODELO: - ¿Prepara tu hermano un sándwich?
- *Sí, mi hermano está preparándolo. / Sí, mi hermano lo está preparando.*

1. - ¿Mira la televisión tu padre?

 - ______________________________

2. - ¿Hace la tarea tu hermana?

 - ______________________________

3. - ¿Beben refrescos tus hermanos?

 - ______________________________

4. - ¿Come un sándwich tu abuelo?

 - ______________________________

5. - ¿Escribe una carta tu prima?

 - ______________________________

6. - ¿Escuchan música tus hermanas?

 - ______________________________

4. *Saber* and *conocer*

4-19 Una conversación. Complete the following conversation two friends are having about a new student with the correct forms of **saber** or **conocer**.

- ¿(1) __________________ al estudiante nuevo? ¿(2) __________________ cómo se llama?
- No (3) __________________ cómo se llama pero (4) __________________ que su apodo es Macho Camacho.
- ¿(5) __________________ si Macho habla español?
- Sí, (6) __________________ que habla español.
- ¿(7) __________________ dónde vive?
- Yo no (8) __________________ dónde vive, pero mi hermano Paco (9)__________________ que vive cerca de la universidad.

Nombre: ______________________________ Fecha: ____________________

- ¿Paco (10) __________________ a Macho?
- Sí, Paco (11) __________________ a Macho y también (12) __________________ a su novia. Yo no (13) _________________________ a la novia de Macho, pero (14) ____________________________ que se llama Remedios.
- Vamos a (15) ____________________ a los dos este sábado en la fiesta de Carlos. Bueno, tengo que estudiar ahora. Hasta luego.
- Adiós.

4-20 Más información. Your friend wants to know more about your cousins. Complete each question with the correct form of **saber** or **conocer**.

1. ¿ _________________________ ellas jugar al vólibol?
2. ¿ _________________________ ellas a toda tu familia también?
3. ¿ _________________________ bailar bien Marcela?
4. ¿ _________________________ (ella) a tus padres también?
5. ¿ _________________________ (tú) si ellos visitan a sus padres en diciembre?
6. ¿ _________________________ (ellas) que yo estudio español?
7. ¿ _________________________ Anita que tú vives en la residencia estudiantil?
8. ¿ _________________________ (tú) al novio de Anita?
9. ¿ _________________________ Carmen hablar francés?
10. ¿ _________________________ (tú) a mi primo Roberto?

4-21 Unas preguntas. Complete these questions with the correct forms of **saber** and **conocer**. Then answer the questions.

MODELO: ¿ *Sabes* dónde vive la profesora de español?
Sí, sé dónde vive la profesora. / No, no sé dónde vive.

1. ¿_________________ preparar un plato *(dish)* mexicano?

____

2. ¿_________________ si hay un buen restaurante cerca de la universidad?

____

3. ¿_________________ una persona de América Central?

____

4. ¿_______________ unos países de Europa?

____

5. ¿_______________ bailar salsa o merengue?

____

6. ¿_______________ la literatura de América Latina?

____

NUESTRO MUNDO

4-22 La América Central I. Based on the information from **Nuestro mundo** on pages 134-135 of your textbook, decide whether the following statements are **cierto (C)** or **falso (F)**.

C F 1. Hay muchas montañas y selvas en América Central.

C F 2. Hay un volcán activo en El Salvador.

C F 3. Es imposible hacer llegar los servicios de salud a todos los pueblos de América Central.

C F 4. Rigoberta Menchú trabaja con un programa de salud.

C F 5. Los tejidos *(woven goods)* tradicionales indígenas son populares entre los turistas.

C F 6. La economía centroamericana se basa en la industria.

C F 7. El café es un producto importante para la economía de América Central.

C F 8. Tikal es una ciudad de ruinas aztecas.

4-23 La investigación. Select and research one of the following topics related to Central America. Use the Internet or library resources and prepare a brief presentation in English or Spanish to present to the class. The presentation can be visual (a poster with images and captions), a report, a summary, etc.

1. The life and work of Rigoberta Menchú
2. The indigenous cultures of Guatemala
3. Ecotourism in El Salvador
4. Traditional woven goods of Central America
5. Maya cities in Central America

Nombre: ____________________________ Fecha: ________________

TALLER

4-24 La familia

Primera fase. Write at least eight questions in Spanish that you can use to find out about someone's family.

MODELO: ¿Estás casado/a?
¿Cuántos hijos / hermanos tienes?

____

____

____

____

____

____

____

____

____

Segunda fase. Interview a Spanish-speaking student, professor, or other community member about his/her family. Use the questions you wrote in the **Primera fase** and jot down the information you learn.

MODELO: Tú: ¿Estás casado?
Entrevistado/a: *Sí, estoy casado y tengo hijos.*
Tú: ¿Cuántos hijos tienes?

____

____

____

____

____

____

____

____

¿CUÁNTO SABES TÚ?

4-25 Nuestra familia. Fill in the blanks with the correct forms of the stem-changing verbs in parentheses.

1. Cuando yo (almorzar) _______________ en la cafetería, yo (conseguir) _______________ una hamburguesa y un refresco por dos dólares.
2. Mi hermana (poder) _______________ jugar bien al tenis pero mi hermano no (jugar) _________________ bien.
3. Mi tío siempre (dormir) _______________ por la tarde, pero mi tía no (entender) _______________ por qué.
4. Mis primas (servir) _______________ bocadillos cuando mis abuelos (venir) _______________ a casa.
5. Yo (soler) _______________ perder la paciencia cuando (reñir) _______________ con mi novio.

4-26 Los consejos de la profesora. Your professor has some suggestions for doing well in the Spanish course. Complete the advice she gives you using the correct **usted** commands of the verbs in parentheses.

1. (Leer) _______________ el libro de español.
2. (Estudiar) ________________ la lección antes de ir a clase.
3. (Empezar)________________ a hacer la tarea inmediatamente después de clase.
4. (Hacer) __________________ preguntas en la clase.
5. (Pedir) __________________ ayuda si tiene problemas.
6. No (salir) ________________ con sus amigos por la noche antes de un examen.
7. (Seguir) _________________ todas mis instrucciones.
8. (Repetir)___________________ los diálogos.
9. (Practicar) __________________ el vocabulario con un compañero de clase.
10. (Escribir) ___________________ todos los ejercicios.

Nombre: ______________________________ Fecha: ____________________

4-27 Los pronombres de objeto directo. Match the following sentences with the appropriate direct object pronoun.

1.	Quiero mucho a mis abuelos y _____ visito todas las semanas.	a. me
2.	Mi hermana ayuda mucho a mi madre; _____ quiere mucho.	b. la
3.	Mi primo me pide ayuda y yo _____ ayudo.	c. los
4.	Yo le pido ayuda a mi primo y él _____ ayuda.	d. nos
5.	Mis abuelos viven cerca de nuestra casa; _____ visitan frecuentemente.	e. lo

4-28 Los verbos *saber* y *conocer*. Fill in the blanks with the appropriate forms of the verbs **saber** and **conocer**.

1. Yo no ________________ el país de Honduras. Me gustaría visitarlo algún día.
2. Mi madre ________________ cocinar muy bien.
3. Nosotros ________________ que Antonio Banderas es español.
4. Mis padres ________________ a todos mis amigos.
5. Los estudiantes de español ______________ la diferencia entre *saber* y *conocer*.

Nombre: ______________________________ Fecha: ____________________

LECCIÓN 5 ¿Cómo pasas el día?

PRIMERA PARTE

¡Así es la vida!

5-1 ¿Recuerdas? Reread the conversation on page 143 of your textbook, and complete the statements below with the missing information.

1. La familia Pérez Zamora tiene ________________________ hijos.
2. ________________________ es el mayor de los hijos.
3. La señora Pérez les pide ________________________ a sus hijos.
4. Antonio tiene que ________________________________ y ____.
5. Antonio no quiere trabajar porque ____________________________.
6. ____________________________ tiene que lavar y guardar la ropa.
7. ____________________________ va a hacer las compras.
8. Después de trabajar, la familia va a ____________________________.

¡Así lo decimos!

5-2 ¡A completar! Fill in each blank with the appropriate word from the list below.

basura	césped	cocina	cuadro	cubo
escoba	garaje	libreros	secadora	sofá

1. Preferimos sentarnos en el ___________________ cuando miramos la televisión.
2. Hay un ___________________ de ese pintor en la pared.
3. Mi carro está en el ___________________.
4. Necesito un ___________________ con agua para lavar el carro.
5. Tú tienes que barrer la ___________________ hoy.
6. Las novelas están en esos ___________________.
7. En mi casa yo saco la ___________________ los jueves.
8. Mañana tenemos que cortar el ___________________.
9. La ropa está en la ___________________. Tienes que doblarla.
10. Barro la terraza con una ___________________.

5-3 ¿Con qué frecuencia haces estos quehaceres? Answer the questions using time words or expressions from **¡Así lo decimos!** and **Expansión**.

MODELO: ¿Con qué frecuencia cortas el césped?
Corto el césped una vez a la semana.

1. ¿Con qué frecuencia limpias tu cuarto?

   ____.

2. ¿Cuándo haces la cama?

   ____.

3. ¿Con qué frecuencia lavas la ropa?

   ____.

4. ¿Con qué frecuencia pasas la aspiradora?

   ____.

5. ¿Con qué frecuencia sacas la basura?

   ____.

Nombre: ____________________________________ Fecha: ____________________

5-4 ¿Cómo es tu cuarto? Draw a few of the pieces of furniture and other items you have in your room in the box below. Then, describe their location as in the model. (You may want to refer back to the prepositions on page 82 of your textbook.)

MODELO: *Mi cama está contra la pared, a la izquierda de la puerta.*

1. ____.
2. ____.
3. ____.
4. ____.
5. ____.
6. ____.
7. ____.
8. ____.

5-5 Casas y apartamentos. Read the advertisement and answer the following questions in Spanish, in complete sentences.

Los Arcos
Cariari
4 dormitorios, 3 baños, garaje, terraza.
Superficie: 1025 m^2.
Precio venta: 45.000.980 colones.

Parritta
2 dormitorios, 1 baño, 1 aseo, 2 plantas, piscina, acceso directo a la playa, casa de huéspedes.
Superficie: 820 m^2.
Precio venta: 39.700.000 colones.

Palo Seco
(cerca de Paritta)
5 dormitorios, 5 baños, alojamiento de criadas, suite principal, 3 plantas, jacuzzi, piscina, garaje, jardines, acceso directo a la playa.
Superficie: 1575 m^2.
Precio venta: 144.999.900 colones.

Santo Domingo de Heredia
(15 minutos de San José)
3 dormitorios, 2 baños, chimenea, sobre parcela de 15.000 m^2 *con jardines, frutas, vista del valle.*
Superficie: 900 m^2.
Precio venta: 39.265.000 colones.

Para su información llame al (506) 222-8989

OFERTA INMOBILIARIA • COSTAMAX OFERTA INMOBILIARIA • COSTAMAX

1. ¿Cuántas plantas *(floors)* tiene la casa que está en Palo Seco?

   ____.

2. ¿Qué más tiene la casa?

   ____

   ____.

3. ¿Cuál es más grande, la casa que está en Los Arcos o la casa que está en Santo Domingo de Heredia? ¿Cómo lo sabes?

   ____

   ____.

4. ¿Cuál es la casa con más baños?

   ____.

5. ¿Cuáles de las casas tienen garaje?

____.

6. ¿Cuál es la casa más cara de todas y cuánto cuesta?

____.

7. ¿Cuánto cuesta la casa que está en Parritta?

____.

8. ¿Cuál de las casas prefieres comprar y por qué?

____.

¡Así lo hacemos! Estructuras

1. The verb *dar*, and the indirect object and indirect object pronoun

5-6 Hoy. Describe what is happening today by using the present tense of **dar**.

1. El profesor _______________ un examen a las nueve.
2. Yo _______________ un paseo por el parque.
3. ¿Les _______________ tú mucho dinero a tus hijos?
4. Sergio y Virginia _______________ una fiesta por la noche.
5. Paco y yo _______________ una fiesta esta noche.

5-7 ¡A completar! Fill in each blank with the appropriate indirect object pronoun to match the indirect object in italics.

1. Mi hermana _______________ lava la ropa *a mí.*
2. Ella _______________ plancha la ropa *a sus hermanos.*
3. Tú _______________ pones la mesa *a tu tío y a tu primo.*
4. Ella _______________ habla *a ti.*
5. Mis amigos _______________ sacan la basura *a ella.*
6. Yo _______________ preparo la cena *a mi novia.*
7. Él _______________ barre la terraza *a mi hermana y a mí.*
8. Ustedes _______________ hacen la cama *a su madrastra.*
9. Tú _______________ quitas la mesa *a tus padres.*
10. Tú y tu hermano _______________ sacuden los muebles *a su abuela.*

5-8 En la tienda. You are doing some shopping. Explain to whom you will give each item.

MODELO: a mi tío / un cubo
Le doy un cubo a mi tío.

1. a mis primos / una plancha

   ____.

2. a mi mamá / una alfombra

   ____.

3. a mi papá / una lámpara

   ____.

4. a mi primo y a su esposa / una lavadora

   ____.

5. a nuestras hermanas / un televisor

   ____.

6. a nuestra profesora / un cuadro

   ____.

Nombre: ______________________________ Fecha: __________________

5-9 ¿Qué les das? What do you give the following people for their birthdays or other special occasions?

MODELO: *Le doy unas flores* (flowers) *a mi mamá.*

1. ______________________________ a mi mamá.
2. ______________________________ a mis abuelos.
3. ______________________________ a mi hermana/o.
4. ______________________________ a mis primos.
5. ______________________________ a mi mejor *(best)* amigo/a.

2. The present tense of *poner, salir, traer* and *ver*

5-10 Varias situaciones. Fill in the blanks with the correct forms of the indicated verbs.

1. **poner**

Ana y Pepe siempre ____________________ los libros en la mochila. Yo ____________________ los libros en el librero. Y tú, ¿dónde ____________________ los libros? Mi amigo Raúl no ____________________ los libros en una mochila. ¡Los tiene en el coche!

2. **salir**

Sandra ____________________ con Teodoro. Ellos ____________________ a nadar todas las tardes y por la noche ____________________ a comer en un restaurante.

Mi vida es más difícil. Yo ____________________ de la casa a las ocho de la mañana y ____________________ del trabajo a las cinco. Mis amigos y yo sólo ____________________ a los restaurantes los viernes porque son muy caros.

3. **ver**

¿Qué ______________________ tú en la televisión? Mi padre

______________________ los partidos de béisbol y mis hermanos

______________________ los partidos de fútbol. Mi madre y mi hermano

______________________ los dramas. Yo también

______________________ películas.

4. **traer**

¿Qué ______________________ tú para hacer los quehaceres domésticos?

Yo ______________________ un cubo y Teresa ______________________

una aspiradora. Quique y Eduardo ______________________ una escoba.

5-11 Los planes. These friends have plans for the weekend. Fill in each blank with the correct form (conjugated or infinitive) of the most logical verb: **hacer**, **poner**, **salir**, **traer**, or **ver**.

Federico y Timoteo (1) __________________ hoy para la playa. Timoteo (2) __________________ los sándwiches. Federico (3) __________________ los refrescos. Federico (4) __________________ todas las cosas en su coche. Piensan (5) __________________ a las tres de la tarde. A las dos y media Timoteo llama a Federico.

Timoteo: ¡Hola, Federico! ¿A qué hora (6) __________________ (nosotros)?

Federico: En treinta minutos. Yo (7) __________________ mis cosas en el coche ahora.

Timoteo: Fede, no es posible (8) __________________ a las tres. Necesito (9) __________________ a mi mamá antes de (10) __________________.

Federico: ¿A qué hora tienes que (11) __________________ a tu mamá?

Timoteo: A las tres y cuarto. (12 -Yo) __________________ de mi casa ahora.

Federico: Chico, no hay problema. Tú y yo (13) __________________ a las cuatro.

Nombre: ______________________________ Fecha: ____________________

SEGUNDA PARTE

¡Así es la vida!

5-12 ¿Cierto o falso? Reread the descriptions on page 155 of your textbook and indicate whether each statement is **cierto (C)** or **falso (F)**. If a statement is false, write the correction in the space provided.

C F 1. Los hermanos Castillo son españoles.

____

C F 2. Antonio siempre duerme tarde.

____

C F 3. Todas las mañanas, Antonio se cepilla los dientes después de levantarse.

____

C F 4. Antonio les prepara el desayuno a sus hermanos.

____

C F 5. Generalmente, Beatriz se levanta temprano.

____

C F 6. Beatriz se lava la cara hoy.

____

C F 7. Ella sale de la casa hoy después de maquillarse.

____

C F 8. Enrique es madrugador.

____

C F 9. Por la noche, se acuesta muy temprano.

____

C F 10. El jefe de Enrique siempre está contento con Enrique.

____

¡Así lo decimos!

5-13 ¡A completar! Complete each statement with an appropriate word or expression from **¡Así lo decimos!**

1. Para despertarme a tiempo, necesito un ________________.
2. Uso ________________ para bañarme.
3. Para cepillarme los dientes, necesito un ________________.
4. Para pintarme los labios, uso un ________________.
5. Antes de salir, me miro en el ________________.
6. Para secarme el pelo, uso una ________________.
7. Antes de afeitarme, uso una ________________.
8. Para afeitarme, uso una ________________.
9. Para pintarme la cara, uso ________________.
10. Después de ducharme, uso una ________________ para secarme.

5-14 Un poco de lógica. Rearrange each group of sentences in a logical order.

1. Me seco con una toalla. Me preparo el desayuno. Me levanto. Me baño. Me despierto.

   ____

   ____

2. Se viste. Se pinta los labios. Laura se ducha. Se cepilla el pelo. Se mira en el espejo.

   ____

   ____

3. Mis amigos se quitan la ropa. Se acuestan. Se cepillan los dientes. Se duermen.

   ____

   ____

4. Nos ponemos la ropa. Nosotros nos ponemos la crema de afeitar. Nos lavamos la cara. Nos afeitamos.

____

____

5-15 ¡Fuera de lugar! In each set of words, circle the word or expression that is out of place.

1. a. acostarse
   b. bañarse
   c. dormirse
   d. despertarse
2. a. la secadora
   b. el peine
   c. los dedos
   d. la máquina de afeitar
3. a. el maquillaje
   b. los ojos
   c. los dientes
   d. la mano
4. a. afeitarse
   b. ducharse
   c. ponerse contento
   d. peinarse
5. a. la loción de afeitar
   b. la cara
   c. el lápiz labial
   d. el jabón
6. a. la nariz
   b. la boca
   c. los labios
   d. los dientes

¡Así lo hacemos! Estructuras

3. Reflexive constructions: pronouns and verbs

5-16 ¿Qué hacen estas personas por la mañana? Complete the sentences with the appropriate present tense form of the reflexive verbs in parentheses.

1. Ana María (mirarse)____________________ en el espejo antes de salir.
2. Nosotros (levantarse)____________________ a las siete.
3. Carlos (secarse)____________________ con una toalla.
4. ¿Tú (lavarse)____________________ la cara?
5. Mamá (vestirse)____________________ antes de ir a la oficina.

6. Los niños (bañarse)____________________ a las siete.
7. Yo (ducharse)____________________ después de levantarme.
8. Ana (ponerse)____________________ maquillaje.
9. Papá (afeitarse)____________________ con una máquina de afeitar.
10. ¿Tú (pintarse)____________________ los labios por la mañana?

5-17 ¿Y tú? Answer the following questions about your daily routine, in complete sentences.

1. ¿Eres madrugador/a? ¿A qué hora te despiertas?

   ____

2. ¿Prefieres bañarte o ducharte?

   ____

3. ¿Te afeitas? ¿Con qué?

   ____

4. ¿Te pones crema o loción? ¿Cuándo?

   ____

5. ¿Te pones maquillaje? ¿Cuándo?

   ____

6. ¿Te vistes antes o después de tomar el desayuno?

   ____

7. ¿Cuántas veces al día te cepillas los dientes?

   ____

8. ¿A qué hora de acuestas los días de semana?

   ____

5-18 Mamá mandona. A mother is telling her children what to do. Use the **ustedes** command forms of the reflexive verbs in parentheses.

1. Alicia y Carmen, (lavarse) ____________________ las manos.
2. Niños, (no dormirse) ____________________ antes de hacer la tarea.
3. Magdalena y Raúl, (no ponerse) ____________________ impacientes. Van a poder ver la televisión después.

Nombre: ________________________ Fecha: ________________

4. Niños, (bañarse) ____________ ahora mismo.
5. Juan y Bruno, (no vestirse) ____________ antes de lavarse.
6. Camila y Luisa, (prepararse) ____________ para la escuela *(school)*.
7. Niños, (no sentarse) ____________ en el sofá.
8. ¡(No enojarse) ____________ conmigo!
9. Gilberto y Pedro, (peinarse) ____________ antes de salir.
10. Rosaura y Camila, ¡(levantarse) ____________ ahora mismo!

5-19 ¿Qué están haciendo? Describe what these people are doing, using the present progressive tense.

MODELO: *Pepe se está cepillando el pelo. / Pepe está cepillándose el pelo.*

El arreglo personal

1. Julia ____________.
2. María ____________.
3. Isabel ____________.
4. Rosa ____________.
5. Graciela ____________.
6. Alfredo ____________.
7. Antonio ____________.
8. Francisco ____________.

4. Reciprocal constructions

5-20 Celina y Santiago. Santiago is Celina's boyfriend. Celina uses the reciprocal construction to describe the things they do together.

MODELO: llamarse por teléfono todos los días
Nos llamamos por teléfono todos los días.

1. quererse mucho

____

2. escribirse poemas todos los días

____

3. contarse los problemas

____

4. hablarse antes y después de clase

____

5. ayudarse con la tarea

____

6. decirse cosas privadas

____

7. besarse mucho

____

8. darse regalos

____

Nombre: ___________________________________ Fecha: ____________________

5-21 ¡Qué romántico! Jorge and Susana are in love. Describe how they meet by combining the sentences by using the reciprocal construction.

MODELO: Jorge conoce a Susana en la fiesta. Susana conoce a Jorge en la fiesta.
Susana y Jorge se conocen en la fiesta.

1. Jorge mira a Susana. Susana mira a Jorge.

____

2. Jorge le sonríe a Susana. Susana le sonríe a Jorge.

____

3. Susana le dice "Hola" a Jorge y Jorge le dice "Hola" a Susana.

____

4. Jorge le pide el nombre a Susana. También Susana le pide el nombre a Jorge.

____

5. Susana le da un refresco a Jorge. Jorge le da un refresco a Susana.

____

6. Jorge le habla a Susana del trabajo. Ella también le habla del trabajo.

____

7. Jorge decide llamar a Susana. Susana decide llamar a Jorge también.

____

8. Jorge invita a Susana al cine. Ella también lo invita al cine.

____

5-22 El verano. It's summer and you are no longer on campus. Answer these questions about your relationship with your friends.

1. ¿Se escriben a menudo tú y tus amigos?

____

2. ¿Se cuentan cosas personales?

____

3. ¿Se hablan por teléfono?

____

4. ¿Se ven a menudo?

____

5. ¿Se visitan durante el verano?

____

NUESTRO MUNDO

5-23 La América Central II. Based on the information from **Nuestro mundo** on pages 166-167 of your textbook, decide whether the following statements are **cierto (C)** or **falso (F)**.

C F 1. El Canal de Panamá fue *(was)* construido entre 1903 y 1913.

C F 2. Los EE.UU. controló el Canal hasta 1999.

C F 3. Los Kuna son una sociedad moderna.

C F 4. Los Kuna son conocidos por sus creaciones textiles.

C F 5. Las ranas de las selvas costarricenses no son peligrosas *(dangerous).*

C F 6. Las ranas en América Central son de oro.

C F 7. La iguana verde es una especie protegida en Costa Rica.

C F 8. En América Central ocurren muchos desastres naturales.

C F 9. Juventud Canadá Mundo es una organización nicaragüense.

C F 10. Voluntarios canadienses pueden ir a trabajar en América Central.

5-24 La investigación. Select and research one of the following topics related to Central America. Use the Internet or library resources and prepare a brief presentation in English or Spanish to present to the class. The presentation can be visual (a poster with images and captions), a report, a summary, etc.

1. los parques y las reservas biológicas de Costa Rica
2. los programas de Juventud Canadá Mundo
3. la vida de los Indios Kuna
4. la construcción del Canal de Panamá
5. la música tradicional de la América Central

Nombre: ______________________ Fecha: ______________

TALLER

5-25 Las rutinas diarias.

Primera fase. Make a list of your typical weekday morning or evening routine. Try to order the activities in sequence.

MODELO:

	Actividad	La hora
1.	*me despierto*	*las seis*
2.	*me levanto*	*las seis y cuarto*

	Actividad	**La hora**
1.	______________	______________
2.	______________	______________
3.	______________	______________
4.	______________	______________
5.	______________	______________
6.	______________	______________
7.	______________	______________
8.	______________	______________
9.	______________	______________
10.	______________	______________

Segunda fase. Use the information you provided in the **Primera fase** to write a description of your typical morning or evening. Add other details whenever possible.

MODELO: *En general, me despierto a las seis de la mañana porque mi primera clase es a las siete y media, pero muchos días no me levanto inmediatamente. Me levanto a las seis y cuarto. Después. . .*

____

____

____

____

____

____

¿CUÁNTO SABES TÚ?

5-26 Los pronombres de objeto indirecto. Match the following sentences with the appropriate indirect object pronoun.

1. Nosotros __________ damos una lámpara a mi madre.
2. Yo ___________ plancho la ropa a ti.
3. Mi madre ___________ dice que tengo que limpiar mi cuarto.
4. Mi padre __________ prepara el desayuno a nosotros.
5. Yo __________ limpio el cuarto a mis hermanas.

a. nos
b. me
c. le
d. les
e. te

5-27 ¿Los verbos *poner, salir, traer* y *ver*. Fill in the blanks with the appropriate form of the verbs **poner**, **salir**, **traer**, or **ver**.

1. Los estudiantes siempre ________________ sus libros a clase.
2. Yo nunca ________________ de casa sin mis libros.
3. Yo __________________ mis libros encima de la mesa.
4. Nosotros ________________ a nuestros amigos en la clase.
5. Yo ______________ la tarea para revisar en clase.
6. Después de clase, Marisol y yo _______________ para la cafetería.

Nombre: ______________________________ Fecha: ____________________

5-28 Los verbos reflexivos. Complete the following paragraph with the correct form of the present tense of each verb in parentheses.

Yo (1. despertarse) ________________ a las siete de la mañana. Después de despertarme, (2. bañarse) ________________, (3. cepillarse) ________________ los dientes y (4. afeitarse) ________________. Yo no (5. lavarse) ________________ la cara, pero frecuentemente (6. lavarse) ________________ el pelo.

Mis hermanas (7. levantarse) ________________ más tarde. Mientras Petra (8. ducharse) ________________, Paula (9. peinarse) ________________ y (10. pintarse) ________________ los labios. Luego todos nosotros (11. reunirse) ________________ en la mesa y (12. desayunarse) ________________ .

Nombre: ______________________________ Fecha: ____________________

LECCIÓN 6 ¡Buen provecho!

PRIMERA PARTE

¡Así es la vida!

6-1 ¡Buen provecho! Reread the conversations on page 175 of your textbook and indicate if each statement is **cierto (C)** or **falso (F)**. If a statement is false, write the correction in the space provided.

Escena 1

C F 1. Marta no tiene hambre.

____

C F 2. A Marta le gustan mucho las hamburguesas.

____

C F 3. Marta quiere ir al restaurante Don Pepe.

____

C F 4. En el restaurante Don Pepe, sirven comida chilena.

____

Escena 2

C F 5. El camarero va a traerles el menú.

____

C F 6. Marta no quiere beber nada.

____

C F 7. Arturo quiere beber vino.

____

Escena 3

C F 8. La especialidad de la casa son los camarones.

____

C F 9. Los camarones son a la parrilla.

____

C F 10. A Marta le gustan mucho los camarones.

____

C F 11. Arturo pide un bistec y una ensalada.

____

Escena 4

C F 12. A Arturo no le gustan mucho los camarones.

____

C F 13. La comida de Marta está muy buena.

____

C F 14. Marta va a recomendarles el restaurante a sus amigos.

____

¡Así lo decimos!

6-2 En el restaurante. How would you respond to the following questions or statements in a restaurant? Match each question with the best response.

1. _____ ¡Hola, Ana! ¿Quieres almorzar conmigo?
2. _____ ¿Qué recomienda usted?
3. _____ ¿Qué tal está la comida?
4. _____ ¿Cómo están las chuletas de cerdo?
5. _____ Camarero, ¿puede usted traernos más vino?
6. _____ ¿Puedo traerles algo más?

a. Enseguida.

b. ¡Están deliciosas!

c. La especialidad de la casa son los camarones a la parilla.

d. ¡Riquísima!

e. Sí, me muero de hambre.

f. Solamente la cuenta, por favor.

6-3 ¿Qué te gusta comer? Complete the following statements according to your own preferences.

1. La carne que más me gusta es ______________________________.
2. La fruta que más me gusta es ______________________________.
3. La bebida que más me gusta es ______________________________.
4. El pescado o marisco que más me gusta es ______________________________.
5. La verdura que más me gusta es ______________________________.
6. El plato *(dish)* que más me gusta es ______________________________.

6-4 Categorías. Select the correct category for each of the following foods.

1. el bistec
   a. frutas   b. pescados y mariscos   c. carnes   d. verduras
2. la lechuga
   a. frutas   b. bebidas   c. carnes   d. verduras
3. el bacalao *(cod)*
   a. bebidas   b. pescados y mariscos   c. carnes   d. postres
4. la limonada
   a. frutas   b. pescados y mariscos   c. bebidas   d. verduras
5. la manzana
   a. frutas   b. pescados y mariscos   c. carnes   d. verduras
6. los camarones
   a. frutas   b. pescados y mariscos   c. carnes   d. verduras
7. las uvas
   a. frutas   b. pescados y mariscos   c. bebidas   d. verduras
8. la cerveza
   a. frutas   b. pescados y mariscos   c. carnes   d. bebidas

6-5 ¿Cómo está la comida? Comment on the quality of the food by using **está** and an adjective to fit each situation.

1. Es un buen restaurante. Toda la comida ______________________.
2. Es un restaurante muy malo. Toda la comida ______________________.
3. Camarero, quisiera un bistec bien cocido *(cooked)*. Este *(This)* bistec ______________________.
4. En este restaurante, las ensaladas son excelentes. Las verduras ______________________.
5. A mí me gusta la sopa caliente. No me gusta esta *(this)* sopa porque ______________________.

6-6 Cuestionario. Answer the following questions in Spanish, in complete sentences.

1. ¿A qué hora almuerzas?
______________________.
2. ¿Qué comes de almuerzo normalmente?
______________________.
3. ¿Dónde cenas?
______________________.
4. ¿Desayunas? ¿Qué comes de desayuno?
______________________.
5. ¿Cuál es tu plato favorito y por qué?
______________________.

Nombre: ______________________________ Fecha: ____________________

¡Así lo hacemos! Estructuras

1. *Gustar* and similar verbs

6-7 ¡A completar! Complete each statement with the correct form of the verb in parentheses and the corresponding indirect object pronoun. Follow the model.

MODELO: A mí ____*me gustan*____ los frijoles. (gustar)

1. A nosotros no ______________________ papas fritas. (quedar)
2. A Elena ______________________ las tartas. (fascinar)
3. A ellos ______________________ el camarero. (caer mal)
4. ¿______________________ a ti comer en la cafetería? (interesar)
5. ¿______________________ a ellas que el jamón tiene mucha grasa? (parecer)
6. Al señor Martínez ______________________ los mariscos. (encantar)
7. A mí ______________________ comer allí. (molestar)
8. A mí ______________________ el dinero de la propina. (faltar)
9. ¿______________________ a ustedes el café con leche? (gustar)
10. ¿A usted ______________________ el cocinero del restaurante? (caer bien)

6-8 Los gustos. Write sentences describing how you feel about the following foods. Include information about why or where you eat them.

MODELO: las fresas
A mí me encantan las fresas porque son dulces y deliciosas. Las como en la primavera.

1. los tomates ____

____

2. el pescado ____

____

3. los huevos ____________________

____

4. las zanahorias ____________________

____

5. la carne de res ____________________

____

6. el arroz ____________________

____

7. los plátanos ____________________

____

8. el café ____________________

____

6-9 ¿Qué cosas te gustan? Answer the following questions in Spanish, in complete sentences.

1. ¿Qué te gusta hacer los sábados por la noche?

____

2. ¿Qué platos *(dishes)* te encantan?

____

3. ¿Qué países te interesa visitar?

____

4. ¿Te fascinan las lenguas extranjeras?

____

5. ¿Qué te molesta hacer?

____

6. ¿Te parece difícil esta lección?

____

Nombre: ___________________________________ Fecha: ____________________

2. Double object pronouns

6-10 Una cena horrible. A friend tells you about an unpleasant experience her parents had in a restaurant. Express your surprise by repeating what she tells you, using direct and indirect object pronouns. Follow the model.

MODELO: La camarera no les trae el menú.
¿Cómo? ¿No se lo trae?

1. La camarera no les repite las especialidades a mis padres.
   ¿Cómo? ¿No _________________________________ repite?
2. Ella no les trae las bebidas.
   ¿Cómo? ¿No _________________________________ trae?
3. Ella no les pone la copa de vino.
   ¿Cómo? ¿No _________________________________ pone?
4. Ella no les sirve camarones a mis padres.
   ¿Cómo? ¿No _________________________________ sirve?
5. Ellos no le piden camarones a la camarera.
   ¿Cómo? ¿No _________________________________ piden?
6. Ella no les prepara la cuenta.
   ¿Cómo? ¿No _________________________________ prepara?
7. Ellos no le dan la propina a ella.
   ¿Cómo? ¿No _________________________________ dan?
8. Mis padres no le piden la cuenta a la camarera ahora y no van más allí.
   ¿Cómo? ¿No _________________________________ piden?

6-11 En el restaurante Los Hermanos. You are the owner of the restaurant **Los Hermanos**. Answer the questions the staff asks you, replacing all nouns with direct and indirect object pronouns. Use the formal **usted** and **ustedes** commands.

MODELO: ¿Le servimos la comida a la señora?
Sí, sírvansela. / No, no se la sirvan.

1. ¿Les traigo el menú a los turistas ahora?
   Sí, ______________________________.
2. ¿Le llevo un tenedor y una cuchara a la señora?
   Sí, ______________________________.
3. ¿Le sirvo el pan y la mantequilla al niño?
   Sí, ______________________________.
4. ¿Les ponemos sal a las judías?
   No, no ______________________________.
5. ¿Le corto la carne y el pollo al señor y a su señora?
   No, no ______________________________.
6. ¿Les lavamos los platos y las tazas al camarero?
   No, no ______________________________.
7. ¿Les buscamos el azúcar y la crema al cliente?
   Sí, ______________________________.
8. ¿Le muestro el menú a los clientes?
   Sí, ______________________________.
9. ¿Le pido ayuda a la camarera?
   No, no ______________________________.
10. ¿Les preparamos el cereal a las niñas?
   Sí, ______________________________.

Nombre: ______________________________ Fecha: __________________

6-12 Actividades en el restaurante. Following the model, answer each question affirmatively. Use the corresponding direct and indirect object pronouns.

MODELO: ¿El camarero le está trayendo el menú al señor?
Sí, se lo está trayendo (está trayéndoselo).

1. ¿La camarera les está llevando los platos a los clientes?

   ____

2. ¿Los clientes alemanes les están pidiendo el desayuno a los camareros?

   ____

3. ¿Le están preparando el desayuno a Miguel?

   ____

4. ¿El camarero te está sirviendo los huevos fritos?

   ____

5. ¿Nosotros le estamos pagando la cuenta a nuestro amigo?

   ____

6. ¿Nos está trayendo el vino el camarero?

   ____

7. ¿La camarera me está poniendo los utensilios en la mesa?

   ____

8. ¿El cocinero nos está haciendo una ensalada de lechuga y tomate?

   ____

SEGUNDA PARTE

¡Así es la vida!

6-13 En la cocina. Reread the transcript of tía Julia's cooking show on page 191 of your textbook, and answer the questions in Spanish, in complete sentences.

1. ¿Qué les enseñó la tía Julia a los televidentes ayer?

   ____

2. ¿Qué va a cocinar la tía Julia hoy?

   ____

3. ¿Qué hay que cortar? ¿Dónde hay que ponerlo?

   ____

4. ¿Qué se le añade al pollo?

   ____

5. ¿Qué calienta la tía Julia? ¿En qué recipiente lo calienta?

   ____

6. ¿Cómo cocina el pollo?

   ____

7. ¿Qué le añade al pollo en la cazuela? ¿Por cuántos minutos lo cocina?

   ____

   ____

8. ¿Qué otros ingredientes añade? ¿Por cuántos minutos más lo deja cocinar?

   ____

   ____

   ____

9. ¿Cuál es el último ingrediente que añade? ¿Por cuántos minutos lo deja cocinar?

   ____

   ____

10. ¿Cómo se sirve el arroz con pollo?

   ____

Nombre: ________________________________ Fecha: __________________

¡Así lo decimos!

6-14 ¡A completar! How well do you know your way around the kitchen? Complete each statement below with a word from **¡Así lo decimos!**

1. Si no tienes lavaplatos, hay que lavar los platos en el ______________.
2. Hay que poner el helado en el ______________.
3. Si tienes mucha prisa y no puedes usar el horno, puedes usar el ______________.
4. Para hacer el café, necesitas usar la ______________.
5. Cuando regreso del supermercado, pongo la leche inmediatamente en el ______________.
6. Para calentar el agua, pongo la cazuela en la ______________.
7. Para freír algo, lo pongo en la ______________.
8. La lista de ingredientes y las instrucciones para preparar una comida se llama la ______________.
9. Mezclo los ingredientes de una torta en un ______________.
10. Siempre le añado una ______________ de sal al arroz.
11. Para preparar tostadas, hay que poner el pan en la ______________.
12. Hay que ______________ el plátano antes de comerlo.

6-15 Muchos cocineros. The Spanish Club is having a party and everyone is helping in the kitchen. Complete each sentence describing what people are doing with the present tense of the appropriate verbs from the list.

MODELO: La señora Vidueñas ____*derrite*____ la mantequilla en la sartén.

añadir batir freír pelar preparar

1. Ramón y Ñico ______________ las papas.
2. La profesora ______________ la mezcla con un cucharón.
3. Carlos le ______________ un poco de limón a la ensalada.
4. Julio y Estrella ______________ los sándwiches.
5. Julio y Yolanda ______________ los huevos en el recipiente.

hervir hornear picar prender tostar

6. Carmen ________________ las zanahorias con el cuchillo pequeño.
7. Yo ________________ el agua en la estufa.
8. Tú ________________ el pan en la tostadora.
9. Jorge y Gerardo ________________ la torta a 200 grados centígrados.
10. Tu hermano y tú ________________ la estufa.

6-16 Una receta. Write instructions for preparing a simple dish you know. Use the **usted** commands to give instructions.

MODELO: *Primero, bata los huevos en un recipiente. . .*

Ingredientes

____
____
____
____
____
____
____
____

Instrucciones

____
____
____
____
____
____
____
____

Nombre: ______________________________ Fecha: ________________

¡Así lo hacemos! Estructuras

3. The preterit of regular verbs

6-17 ¿Qué hicieron en la clase de cocina? Describe what everyone did during a cooking class. Complete each sentence with the correct form of the verbs in parentheses.

1. Alfredo (pelar) ________________ las papas.
2. Ana y Silvia (picar) ________________ la cebolla.
3. El chef le (echar) ________________ sal al pollo.
4. Yo (mezclar) ________________ los ingredientes.
5. José (batir) ________________ los huevos.
6. Mi hermano (tapar) ________________ la cazuela.
7. Carlos y yo (prender) ________________ la estufa.
8. Pepito (voltear) ________________ la tortilla.
9. Isabel y Enrique (tostar) ________________ el pan.
10. Todos nosotros (comer) ________________ la torta.

6-18 ¡A completar! Complete each paragraph with the correct preterit form of the verb in parentheses.

I. Carlos y Esteban (1. buscar) ________________ un restaurante donde almorzar. Ellos (2. caminar) ________________ mucho y por fin (3. encontrar) ________________ un restaurante. El camarero les (4. preguntar) ________________ qué iban *(they were going)* a pedir. Los dos (5. comer) ________________ arroz con pollo. Ellos (6. salir) ________________ del restaurante a las dos y (7. volver) ________________ a casa a las tres.

II. ¡Hola, mi amor! ¿Qué (8. cenar) ________________ tú hoy? ¿(9. Comer) ________________ con Jaime? ¿Uds. (10. esperar) ________________ mucho tiempo? ¿(11. Pagar) ________________ tú mucho por la comida? ¿Te (12. parecer) ________________ bueno el restaurante? ¿A qué hora (13. salir) ________________ tú y Jaime?

III. Mi hermana y yo (14. llegar) ________________ a nuestra clase de cocina. Mi hermana (15. abrazar) ________________ a la tía Julia y yo (16. comenzar) ________________ a preparar los ingredientes. Yo (17. buscar) ________________ los ingredientes y la tía Julia nos (18. enseñar) ________________ la receta. A nosotros nos (19. gustar) ________________ mucho la clase de la tía Julia y nosotros le (20. comprar) ________________ una botella de vino.

6-19 Algunas preguntas. Answer the questions in Spanish in complete sentences.

1. ¿Desayunaste hoy? ¿Qué comiste?

   ____

2. ¿Con quiénes almorzaste ayer?

   ____

3. ¿Dónde cenaste anoche? ¿Qué comiste?

   ____

4. ¿Saliste a la biblioteca anoche? ¿Saliste con tus amigos?

   ____

5. ¿Estudiaste español anoche? ¿Qué estudiaste?

   ____

4. *Tú* commands

6-20 Mandatos en la cocina. You are giving your younger brother some tips on how to prepare a good meal. Complete each statement with the **tú** command.

1. (Leer) ____________________ las instrucciones en la receta.
2. (Comprar)____________________ todos los ingredientes.
3. (Lavar) ____________________ todas las verduras.
4. No (prender)____________________ la estufa todavía.
5. (Poner) ____________________ la carne en el horno.
6. (Hacer) ____________________ el flan.

7. No (añadir) ________________ más sal.
8. (Hervir) ____________________ las papas a fuego medio.

6-21 En el Restaurante Rivera. The restaurant owner tells her employees what to do to get ready before the customers arrive. Rewrite each command by replacing the direct object noun with a direct object pronoun.

MODELO: Margarita, busca las servilletas.
Búscalas.

1. Pepe, trae los refrescos. ______________________________.
2. Juan, compra aceite. ______________________________.
3. Pablo, corta el pan. ______________________________.
4. Lupe, calienta la estufa. ______________________________.
5. Toño, pica las verduras. ______________________________.
6. Felipe, lava los platos y los utensilios. ____________________.
7. Alicia, pon los platos en las mesas. ______________________.
8. Gabriel, mezcla los huevos y el azúcar.____________________.
9. Mario, muestra el menú. ______________________________.
10. Enriqueta, hornea el flan. ______________________________.

6-22 Preguntas, preguntas. The students in your cooking class have questions for you. Answer them using the **tú** command and replacing the object noun with the direct object pronoun.

MODELO: ¿Debo añadirle sal a la carne?
Sí, añádesela.

1. ¿Tengo que leerle la receta a los otros estudiantes?

   Sí, ____.

2. ¿Debo comprarle los ingredientes a usted?

   Sí, ____.

3. ¿Debo echarles cebollas a los camarones?

   Sí, ____.

4. ¿Tengo que ponerle huevos a la torta?

No, ____.

5. ¿Debo ponerle ají a los frijoles?

Sí, ____.

6. ¿Tengo que prepararle la salsa picante a la carne de ternera?

Sí, ____.

7. ¿Tengo que cortarle la cebolla a la cocinera?

Sí, ____.

8. ¿Debo traerle a usted la espátula?

No, ____.

9. ¿Debo lavarle los platos a usted?

Sí, ____.

10. ¿Tengo que llevarles el menú a los clientes?

Sí, ____.

NUESTRO MUNDO

6-23 Chile: Un país de contrastes. Based on the information from **Nuestro mundo** on pages 204-205 of your textbook, decide whether the following statements are **cierto (C)** or **falso (F)**.

C F 1. Chile no tiene un buen clima para la agricultura.

C F 2. Los productos agrícolas chilenos se exportan a otros países.

C F 3. En Chile se puede comer una gran variedad de pescados.

C F 4. Punta Arenas es la capital de Chile.

C F 5. Isabel Allende es una novelista importante.

C F 6. Se hizo una película de una de las novelas de Allende.

C F 7. El desierto de Atacama es importante por la producción de uvas.

C F 8. El desierto de Atacama es rico en minerales.

C F 9. En junio es verano en Chile.

C F 10. El Osorno es un parque nacional chileno.

Nombre: ______________________________ Fecha: ________________

6-24 La investigación. Select and research one of the following topics related to Chile. Use the Internet or library resources and prepare a brief presentation in English or Spanish to present to the class. The presentation can be visual (a poster with images and captions), a report, a summary, etc.

1. las novelas de Isabel Allende
2. los vinos chilenos
3. la vida de Salvador Allende
4. los parques nacionales de Chile
5. la minería en el desierto Atacama

TALLER

6-25 Los anuncios. Read the following restaurant ads and answer the questions.

1. ¿En qué país y ciudad están estos restaurantes?

____

2. ¿Qué restaurantes anuncian las especialidades? ¿Cuáles son?

____

____

3. ¿Qué restaurante ofrece platos especiales del día?

____

4. ¿Cuál es la especialidad del restaurante Vaquita Grande?

____

6-26 Una receta. Use the Internet and library sources to look up and write down a Chilean recipe or a recipe from another South American country. Choose a recipe that sounds interesting to you. If possible, look for the history of the recipe: Was it an indigenous dish? Were the ingredients originally found in the Americas or were they brought in by the Europeans?

Ingredientes

____

____

____

____

____

Instrucciones

____

____

____

____

____

Historia

____

____

____

____

____

Nombre: ______________________________ Fecha: ________________

¿CUÁNTO SABES TÚ?

6-27 Los verbos como *gustar*. Complete the following paragraph with the correct forms of the verbs in parentheses.

A mí me (1 gustar) ________________ muchas comidas pero no me (2 gustar) ________________ los camarones porque me (3 caer mal) ________________. ¿Te (4 gustar) ________________ los mariscos? A mis amigos les (5 fascinar) ________________ los mariscos y también les (6 encantar) ________________ las frutas. ¿Te (7 gustar) ________________ a ti comer en un restaurante? Si quieres ir, te invito ¡porque tú me (8 caer) ________________ bien!

6-28 El doble pronombre. Read the following sentences and decide which pronouns each sentence is missing, according to the context.

la las lo los me nos se le

1. Mi hermana y yo le pedimos ayuda a mi madre y mi madre __________ dio *(gave)*.
2. Eduardo quería la receta del arroz con pollo y yo ________ ________ di *(gave)*.
3. Yo quería un café y Juan ________ ________ compró.
4. Tú querías papas al horno y el camarero ________ ________ recomendó.
5. Queríamos bocadillos; Paco __________ __________ preparó.

6-29 El pretérito. Describe what happened yesterday by completing the paragraph with the appropriate forms of the verbs in parentheses.

Ayer, yo (1 despertarse) ________________ tarde y (2 decidir) ________________ ir a almorzar a un restaurante. (3 Llamar)________________ a mi amiga Silvia y la (4 invitar) ________________ a almorzar conmigo. Nosotras (5 llegar)________________ al restaurante a la una. Cuando nosotras (6 entrar) ________________ al restaurante, Silvia le (7 preguntar) ________________ a la camarera por la especialidad de la casa. Ella le (8 responder) ________________ "bistec con papas fritas". Silvia y yo (9 comer) ________________ la especialidad de la casa. El cocinero (10 preparar) ________________ mi bistec muy bien y yo le (11 añadir)________________ salsa picante. Mi bistec me (12 gustar) ________________ mucho. Yo (13 beber) _______________ un refresco con la comida y Silvia (14 tomar) _________________ una taza de café con leche. Nosotras le (15 dejar) ________________ una buena propina a la camarera.

6-30 Los mandatos. You are giving a hands-on cooking demonstration. Tell the students what to do by changing each infinitive to the **tú** command.

1. Pedro, (conseguir) ____________________ los ingredientes.
2. Lolita, (freír) ____________________ las cebollas en la sartén.
3. Julio, (hornear) ____________________ el pollo por cuatro horas.
4. Teresa, (pelar) ____________________ las papas.
5. José, (ir) ____________________ a buscar los pimientos.
6. Elena, (hacer) ____________________ la ensalada.
7. Enrique, no le (poner) ____________________ tanta pimienta a la carne.
8. Josefina, no (hervir) ____________________ el agua todavía.
9. María, (poner) ____________________ la mesa.
10. Charo, (revolver) ____________________ la sopa.

Nombre: ______________________________ Fecha: ____________________

LECCIÓN 7 ¡A divertirnos!

PRIMERA PARTE

¡Así es la vida!

7-1 El fin de semana. Reread the conversations on page 211 of your textbook and complete each statement accordingly.

Escena 1

1. El problema de Karen y Ricardo es que no saben ____________________.
2. Ellos quieren información sobre las actividades para este sábado y están ______________________________.
3. Una actividad posible es ____________________.
4. Karen no quiere ir al partido porque ______________________________.
5. Otra actividad posible es ____________________.

Escena 2

6. En la opinión de Linnette, es un día perfecto para ____________________ porque ____________________.
7. En Luquillo, Linnette quiere ______________________________.
8. Primero, Scott va a preparar ____________________ pero luego él decide comprar ____________________.
9. Ricardo dice que puede traer ____________________.
10. Van a poner la sombrilla en el coche de Scott porque ______________________________.

Escena 3

11. El mar está ____________________.
12. Linnette no ve ____________________ en el coche.
13. Scott cree que los trajes de baño están ____________________.
14. Ahora los amigos no ____________________.

¡Así lo decimos!

7-2 ¡A completar! Complete each statement with the most appropriate word from the list on the right.

1.	_____ Hace mucho sol, necesito una...	a. bolsa
2.	_____ Paco quiere nadar en la playa; necesita un....	b. heladera
3.	_____ El hielo está en la...	c. boleto
4.	_____ Queremos saber qué tiempo va a hacer; vamos a escuchar el…	d. sombrilla
		e. traje de baño
5.	_____ Las toallas están en la…	f. pronóstico
6.	_____ Si voy a ir al concierto, necesito comprar un…	

7-3 En el teatro. A friend has invited you to the theatre tonight. Read the ticket carefully and answer the questions in Spanish.

TEATRO HISPANIOLA

"DIATRIBA DE AMOR CONTRA UN HOMBRE SENTADO"
TEATRO LIBRE DEL CARIBE

JUEVES 25 OCTUBRE 05
HORA: 21:00
PRECIO: 600 PESOS
BUTACA
FILA: 3 **ASIENTO: 10**

TEATRO HISPANIOLA
C/ DE ALBATROS 42
CABARETE, REPÚBLICA DOMINICANA
(809) 571-0290
201303549 REF: 1222546051

CAJA DE CABARETE CAJA DE CABARETE CAJA DE CABARETE CAJA DE

1. ¿Cómo se llama el teatro? ______________________________
2. ¿Cómo se llama la obra teatral? ______________________________
3. ¿Cuál es la dirección del teatro? ______________________________
4. ¿Qué día es la obra? ______________________________
5. ¿A qué hora es? ______________________________
6. ¿Cuánto cuesta el boleto? ______________________________
7. ¿Cuál es el asiento? ______________________________
8. ¿Hay un número de teléfono para el teatro? Si lo hay, ¿cuál es? ______________

____

Nombre: ____________________________________ Fecha: _____________________

7-4 ¿Qué tiempo hace? Complete the sentences by choosing the most logical options. The first one has been done for you.

hace buen tiempo	hace frío	hace mucho frío	llueve mucho
nieva	hace fresco	voy a esquiar	nado en el mar
hace mucho calor	estudio		

1. En diciembre _______*hace frío y nieva*______.
2. En otoño ___________________________________.
3. Cuando voy a la playa ___________________________________.
4. Necesito otro suéter cuando ______________________________.
5. En la primavera __________________________.
6. Cuando ____________________________ yo ____________________________.
7. En el verano ___________________________________.
8. Cuando no __________________________ yo _____________________________.

7-5 Preguntas y respuestas. Answer the following questions in Spanish, in complete sentences.

1. ¿Qué tiempo hace hoy?

   ____.

2. ¿Para qué está ideal el día?

   ____.

3. ¿Qué haces si empieza a llover?

   ____.

4. ¿Qué bebes cuando hace mucho frío?

   ____.

5. ¿Qué haces cuando hace calor en la playa?

   ____.

6. ¿Nieva o llueve mucho en tu ciudad?

   ____.

7. ¿En qué meses hace mucho frío?

   ____.

8. ¿En qué meses hace mucho calor?

   ____.

¡Así lo hacemos! Estructuras

1. Verbs with irregular preterit forms (I)

7-6 ¿Qué pasó? Describe what happened last week, yesterday, and last night by completing each paragraph with the preterit forms of the indicated verbs.

1. **ir**

La semana pasada yo ____________________ a un concierto. Mi novia no ____________________ pero mis amigos ____________________ conmigo. Después nosotros ____________________ a un restaurante a comer.

2. **tener**

Ayer nosotros ____________________ que ir a la playa. Yo ____________________ que comprar refrescos y mis hermanas ____________________ que hacer sándwiches. Nosotros ____________________ que comprar bolsas y papá también ____________________ que comprar una sombrilla.

3. **dar**

Yo le ____________________ la sombrilla a mi novia y mis amigos le ________________ la bolsa. Mi hermano le ____________________ una heladera que compró anoche. Todos nosotros le ____________________ más cosas para llevar a la playa.

4. **hacer**

¿____________________ buen tiempo ayer? ¿Qué ____________________ tú? Nosotros ____________________ muchas cosas en la playa. Mis hermanas ____________________ mucho ruido (*noise*). Yo no ____________________ las cosas tontas que ellas ____________________.

5. **estar**

Anoche yo ____________________ con mis amigos en un restaurante. Nuestros profesores también ____________________ con nosotros en el restaurante. Nosotros ____________________ allí por dos horas. La comida ____________________ muy buena. Luego, mis amigos y yo ____________________ en casa de mi hermano. ¿Dónde ____________________ tú anoche?

Nombre: ____________________________________ Fecha: _____________________

7-7 ¿Qué hiciste ayer? First, complete the questions with the appropriate preterit form of the verbs in parentheses. Then, answer the questions in Spanish, in complete sentences.

1. ¿Qué (hacer)____________________ tú ayer?

   ____.

2. ¿Adónde (ir)____________________ con tus amigos?

   ____.

3. ¿(Tener)____________________ que comprar algo?

   ____.

4. ¿(Estar)____________________ en la biblioteca?

   ____.

5. ¿(Dar)____________________ un paseo con alguien?

   ____.

7-8 Muchas preguntas. Answer the following questions in Spanish, in complete sentences.

1. ¿Adónde fuiste el fin de semana pasado?

   ____.

2. ¿Quién fue tu profesor(a) favorito(a) en la escuela secundaria?

   ____.

3. ¿Dónde estuviste anoche?

   ____.

4. ¿Tuviste que hacer mucha tarea ayer?

   ____.

5. ¿Qué le diste a tu mamá por su cumpleaños el año pasado?

   ____.

6. ¿Qué hiciste en tus clases ayer?

   ____.

2. Indefinite and negative expressions

7-9 Conversaciones. Complete each conversation with the appropriate affirmative and negative expressions from the list. You may need to use some expressions twice.

algo   algún   nada   ni…ni   ninguno

1. -¿Quieres refrescos o agua mineral para el pícnic?

   -No quiero __________ refrescos __________ agua mineral para el pícnic.

2. -¿Deseas tú __________ para llevar al pícnic?

   -No, gracias, no deseo __________ para llevar al pícnic.

3. -¿Tienes __________ sándwich en el cesto?

   -No, no tengo __________.

algo   alguien   algún   nadie   ningún   nunca   siempre

4. -¿Te preparo __________ de postre para el pícnic?

   -No, chico. ¿Por qué no compras __________ pastel?

5. -¿Hay __________ tomando el sol en la playa?

   -No, no hay __________ tomando el sol en la playa.

6. -¿Vamos al cine esta noche?

   -No, chico, ¿por qué no hacemos __________ diferente? __________ vamos al cine por la noche.

7. -Bueno, ¿qué quieres hacer?

   -No sé. ¿Vamos a un concierto? __________ vamos a __________ concierto.

7-10 Ana y Paco riñen. Ana and Paco are quarrelling. Ana has a number of complaints against Paco. Play the role of Paco and change Ana's statements from affirmative to negative or vice-versa.

Ana: Tú *no* me llevas a la playa *nunca.*

Paco: (1) ____.

Ana: Tú *nunca* me das *ningún* regalo.

Paco: (2) ____.

Ana: Tú *no* me llevas *ni* a la discoteca *ni* al cine.

Nombre: ______________________________ Fecha: __________________

Paco: (3) ______________________________.

Ana: Tú *tampoco* me invitas a dar un paseo.

Paco: (4) ______________________________.

Ana: Tú quieres a *alguien* más que a mí.

Paco: (5) ______________________________.

Ana: Tú *no* me quieres.

Paco: (6) ______________________________.

7-11 Más preguntas. Answer the following questions in Spanish, in complete sentences.

1. ¿Siempre sales con tus amigos los fines de semana?

   ______________________________.

2. ¿Vas a salir con alguien este sábado?

   ______________________________.

3. ¿Tienes que preparar algo para la clase de español?

   ______________________________.

4. ¿Conoces a algún estudiante de Latinoamérica?

   ______________________________.

5. ¿Sabes preparar algunos platos mexicanos?

   ______________________________.

6. ¿Te gusta ver películas en español o en francés?

   ______________________________.

SEGUNDA PARTE

¡Así es la vida!

7-12 Los deportes. Reread the passages on page 222 of your textbook and indicate whether each statement is **cierto (C)** or **falso (F)**. If a statement is false, write the correction in the space provided.

C F 1. María Ginebra juega al tenis en el invierno.

____

C F 2. Ella nunca nada en el invierno.

____

C F 3. La deportista favorita de María Ginebra juega al tenis.

____

C F 4. Daniel Betancourt es entrenador de un equipo de béisbol.

____

C F 5. A Daniel le caen bien los árbitros.

____

C F 6. Leopoldo Soto practica béisbol.

____

C F 7. La temporada de la liga de béisbol puertorriqueña es en el verano.

____

C F 8. Leopoldo no batea mal.

____

C F 9. A Alejandra le gusta el tenis.

____

C F 10. Alejandra conoció a un boxeador la semana pasada.

____

Nombre: ________________________________ Fecha: ____________________

¡Así lo decimos!

7-13 Algunos deportes. Explain the following sports to someone unfamiliar with them by completing each statement with words or expressions from **¡Así lo decimos!**

1. Para jugar al tenis, necesitas una ____________________ y una ____________________.
2. Para jugar al béisbol, necesitas un ____________________ y un ____________________.
3. Para jugar al básquetbol, necesito un ____________________.
4. Juego al fútbol en un ____________________.
5. Cuando hay errores en un partido el ____________________ del equipo se enoja.
6. Los ____________________ gritan mucho durante un campeonato.
7. La persona que juega muy bien es la ____________________.
8. El ____________________ toma las decisiones.
9. Todos los jugadores forman un ____________________.
10. Cuando dos equipos ____________________, ni ganan y ni pierden.

7-14 Asociaciones. Match the words or expressions in the right column with the words in the left column.

1.	_____ correr	a.	no ganar ni perder
2.	_____ empatar	b.	la natación
3.	_____ gritar	c.	una bicicleta
4.	_____ esquiar	d.	el golf
5.	_____ nadar	e.	el atletismo
6.	_____ el palo	f.	el hockey
7.	_____ la estrella	g.	el/la campeón/ona
8.	_____ el ciclismo	h.	el/la aficionado/a
9.	_____ patinar	i.	la raqueta
10.	_____ el tenista	j.	los esquís

7-15 Crucigrama. Read each description or definition and write the correct word in the corresponding squares.

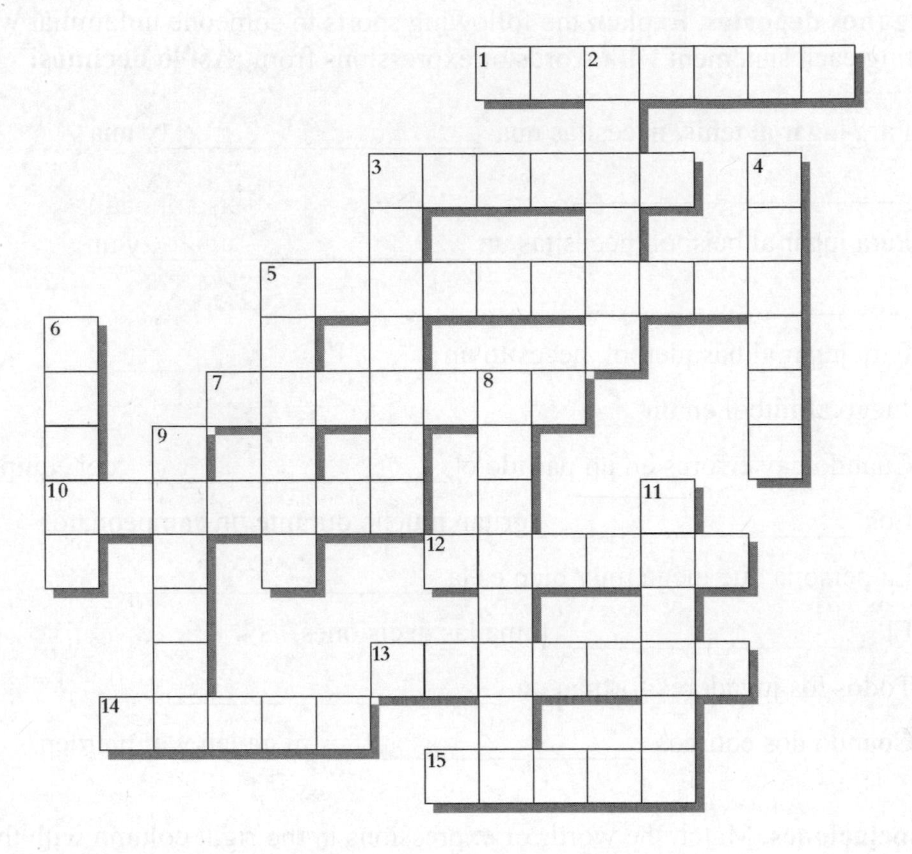

HORIZONTALES

1. los dos equipos tienen el mismo número de puntos
3. una cosa redonda y blanca que se usa para el béisbol
5. la persona que enseña y ayuda a los jugadores
7. las cosas que los beisbolistas se ponen en las manos
10. los Azulejos de Toronto, los Canucks de Vancouver, los Canadienses de Montreal…
12. expresarse en voz muy alta
13. cosas grandes y redondas que se usan para el básquetbol
14. palos de madera o de aluminio para el béisbol
15. tener más puntos que el competidor al final del partido

VERTICALES

2. darle a una pelota con el pie
3. zapatos especiales que se usan para patinar
4. ir muy rápido a pie
5. las cosas necesarias para jugar un deporte
6. un deporte entre dos personas que llevan guantes grandes y pantalones cortos
8. una persona muy famosa y popular
9. una acción en un partido para ganar puntos
11. darle a una pelota con un bate

Nombre: ______________________________ Fecha: ____________________

7-16 ¿Te gustan los deportes? Describe how you feel about the following sports. Begin each sentence with **Me gusta** or **No me gusta** and give a reason why you like or dislike the sport, using one of the adjectives from the list.

MODELO: el tenis
Me gusta el tenis porque es muy activo.

aburrido	activo	agresivo	disciplinado	divertido
emocionante	interesante	lento	rápido	violento

1. el básquetbol

 ____.

2. la natación

 ____.

3. el ciclismo

 ____.

4. el hockey

 ____.

5. el tenis de mesa

 ____.

6. el esquí

 ____.

7-17 La Primera Liga de España. Look at the results in the following chart and answer the questions that follow, in complete sentences.

Primera Liga: Posiciones Pos. Equipo	***Jug.**	****Gan.**	*****Emp.**	******Per.**	*******Pts.**
1 Real Madrid	4	3	0	1	9
2 Espanyol	3	2	1	0	7
3 Atlético Madrid	3	2	1	0	7
4 Barcelona	3	2	1	0	7
5 Real Zaragoza	3	2	1	0	7
6 Valencia	3	2	1	0	7
7 Osasuna	4	2	1	1	7
8 FC Sevilla	3	2	0	1	6
9 Numancia	3	1	1	1	4
10 Levante	3	1	1	1	4
11 Málaga	3	1	1	1	4
12 Mallorca	3	1	0	2	3

*** Partidos jugados**
**** Partidos ganados**
***** Partidos empatados**
****** Partidos perdidos**
******* Puntos**

1. ¿Cuántos equipos hay en la liga?

   ____.

2. ¿Qué equipo tiene más partidos ganados?

   ____.

3. ¿Cuántos partidos ha empatado (*has tied*) el equipo de Valencia?

   ____.

4. ¿Qué equipo tiene más partidos perdidos?

   ____.

5. ¿Qué tres equipos tienen el mismo (*same*) número de puntos?

   ____.

6. ¿Te interesa el fútbol? ¿Te gustaría (*Would you like*) ver un partido?

   ____.

7. ¿Tienes un equipo favorito?

   ____.

Nombre: ___________________________________ Fecha: ____________________

¡Así lo hacemos! Estructuras

3. Verbs with irregular preterit forms (II)

7-18 Una carta. Complete Ramiro's letter to his friend with the preterit forms of the regular and irregular verbs in parentheses.

20 de enero

Querido Rafael:

El mes pasado yo (1. ir)_________________ de vacaciones a casa de Manuel Vargas en la República Dominicana. Allí nosotros (2. tener)_________________ la oportunidad de visitar muchos lugares de interés. Nosotros (3. andar)_________________ por la capital, donde yo (4. poder)_________________ comprar regalos para mi familia. Luego, Manuel y yo (5. ir)_________________ a visitar el interior de la isla. Nosotros (6. poder) _________________ ir a la playa de Sosúa. Allí Manuel (7. buscar)_________________ a varios de sus amigos y yo los (8. conocer)_________________ . Al día siguiente nosotros (9. ir)_________________ a la ciudad de Santiago de los Caballeros. Por la noche, los amigos de Manuel (10. venir)_________________ a buscarnos para ver un partido de béisbol. El partido (11. ser)_________________ muy emocionante. Sammy Sosa, la estrella del equipo dominicano, (12. jugar)_________________ y (13. batear) _________________ muy bien. Los aficionados (14. gritar)_________________ mucho y (15. animar)_________________ mucho a su equipo. Yo (16. querer) _________________ conocer a Sammy Sosa, pero no (17. poder)_________________ . Después de estar una semana en Santo Domingo, yo (18. venir)_________________ para Canadá. Ayer le (19. escribir)_________________ a Manuel y le (20. decir) _________________ que me (21. gustar) _____________________ mucho la visita.

Un saludo de

Ramiro

7-19 Algunas preguntas. Answer the following questions in Spanish, in complete sentences.

1. ¿Pudiste terminar todas tus tareas anoche?

____.

2. ¿Pusiste música mientras estudiaste?

____.

3. ¿Supiste alguna noticia interesante ayer?

____.

4. ¿Qué le dijiste a tu profesor(a) de español cuando lo/la viste en clase?

____.

5. ¿A qué hora viniste a la universidad esta mañana?

____.

6. ¿Qué libros trajiste contigo hoy?

____.

4. Impersonal and passive *se*

7-20 El entrenador. A baseball coach is giving tips to her players. Complete the paragraph with the pronoun **se** and the indicated verbs.

(1. Decir)____________________ que cuando (2. jugar)____________________ al béisbol, (3. tener)____________________ que escuchar muy bien al entrenador. Antes de comenzar a batear (4. mirar)____________________ bien al lanzador *(pitcher)* y (5. estudiar) ____________________ sus movimientos. Luego (6. necesitar) ____________________ un bate bueno, (7. tomar)____________________ bien el bate y uno se para enfrente del lanzador. Cuando (8. lanzar)____________________ la pelota, (9. dar) ____________________ un golpe (*blow*) fuerte con el bate y adiós pelota.

Nombre: ______________________________ Fecha: ____________________

7-21 El/La experto/a. A friend is asking you about different sports. Answer the following questions in Spanish, in complete sentences.

1. ¿Qué se necesita para jugar al béisbol?

   ____.

2. ¿Para qué se usa una raqueta?

   ____.

3. En el básquetbol, ¿se puede correr con el balón?

   ____.

4. ¿Con qué se juega al vólibol?

   ____.

5. ¿Qué se usa para boxear?

   ____.

6. ¿Qué se tiene que hacer para ganar un partido?

   ____.

7. ¿Qué se puede hacer cuándo el árbitro toma una mala decisión?

   ____.

8. ¿Qué se debe hacer para ser una estrella?

   ____.

NUESTRO MUNDO

7-22 Las islas hispánicas del Caribe. Read the information from **Nuestro mundo** on pages 234-235 of your textbook, and choose the one ending which is **not** appropriate for each of the following statements.

1. La isla de Cuba…

   a. recibe muchos turistas. b. tiene playas bonitas. c. es pequeña.

2. Aparte del turismo, una industria importante en Cuba es…

   a. la minería. b. la agricultura. c. la fabricación de cigarros.

3. Pinar del Río es…

   a. una ciudad cubana. b. el centro del cultivo del tabaco. c. una playa bonita.

4. El dominó…

   a. es un deporte. b. es un juego popular. c. se juega en Cuba

5. En la República Dominicana…

   a. la música es importante. b. no se usan trompetas en la música.

   c. la música tiene orígenes africanos.

6. Puerto Rico…

   a. tiene una relación política con los EE.UU. b. tiene una relación política con España.

   c. tiene edificios (*buildings*) coloniales.

7-23 La investigación. Select and research one of the following topics related to the Spanish-speaking islands of the Caribbean. Use the Internet or library resources and prepare a brief presentation in Spanish to present to the class. The presentation can be visual (a poster with images and captions), a report, a summary, etc.

1. la herencia africana en las islas del Caribe
2. el juego del dominó
3. los grupos indígenas del Caribe
4. la música cubana
5. la fabricación de los puros habanos (cigarros cubanos)

Nombre: ______________________________ Fecha: ____________________

TALLER

7-24 El fin de semana pasado.

Primera fase. Interview five to six students to find out how they spent last weekend. Fill in the following chart based on your interviews. Remember to ask if they ate out, saw a movie, went shopping, etc. Fill out part of the chart for yourself as well.

ESTUDIANTE	ACTIVIDADES	¿CON QUIÉN?	¿DÓNDE?
TÚ			

Segunda fase. Use the information from the **Primera fase** to write a brief paragraph comparing what you and the other students did last weekend.

MODELO: *Ana, Esteban y Elsa fueron a ver una película. Yo no fui al cine, pero salí a cenar en un restaurante muy bueno con unos amigos. . .*

Nombre: ______________________ Fecha: ______________

7-25 Los canadienses y los deportes

Primera fase. Select three professional Canadian athletes and look up information on the Internet and in library resources. **¿Dónde nació? ¿Dónde aprendió a jugar su deporte? ¿Dónde vive ahora?** etc. Make a list in Spanish of information you find.

Nombre: ______________________

Lugar de nacimiento: ______________________

Su deporte: ______________________

El equipo (los equipos): ______________________

Entrenamiento (*training*): ______________________

Información miscelánea: ______________________

____

Nombre: ______________________

Lugar de nacimiento: ______________________

Su deporte: ______________________

El equipo (los equipos): ______________________

Entrenamiento (*training*): ______________________

Información miscelánea: ______________________

____

Nombre: ______________________

Lugar de nacimiento: ______________________

Su deporte: ______________________

El equipo (los equipos): ______________________

Entrenamiento (*training*): ______________________

Información miscelánea: ______________________

____

Segunda fase. Now, choose one of the three athletes you researched in the **Primera fase** and write a brief paragraph in Spanish describing him or her.

____

____

____

____

____

____

____

____

____

____

¿CUÁNTO SABES TÚ?

7-26 Los verbos irregulares. Describe last night's party by completing the paragraph with the correct preterit form of the verbs in parentheses.

Anoche mi hermano y yo (1. dar)________________________ una fiesta y muchos de nuestros amigos (2. ir)________________________ a la fiesta. Nosotros (3. hacer) ________________________ muchas cosas antes de comenzar la fiesta. Mi hermano (4. hacer) ________________________ la comida y yo (5. tener) ____________________ que limpiar la casa. Nuestros amigos Pepe y Paco (6. estar)________________________ en la fiesta con sus novias Adela y Anita. Paco (7. tener)________________________ que bailar con Adela toda la noche. La fiesta (8. estar) ________________________ muy buena. ¿(9. Ir)________________________ tú a una fiesta anoche?

Nombre: ______________________________________ Fecha: ______________________

7-27 Más verbos irregulares. Fill in the blanks with the preterit forms of the verbs from the following list.

conocer estar haber poner saber ser poder

1. Ayer Jorge ______________ que su abuelo ______________ boxeador profesional.
2. Teresa, ¿dónde ______________ la toalla? Voy a nadar y no la encuentro.
3. ________________ una excursión a las montañas el fin de semana pasado y yo no ____________________ ir.
4. Fernando y Raúl ____________________ a Carlos Delgado cuando (ellos) ____________________ en Toronto. ¡________________ una experiencia maravillosa!

7-28 Las expresiones indefinidas y negativas. Fill in the blanks by choosing the most appropriate negative or indefinite expression.

1. No me gusta __________________ de los deportes violentos.

   a. algo b. nadie c. ninguno d. siempre

2. _____________________ voy a la playa cuando llueve.

   a. Nunca b. Nada c. Alguien d. Algo

3. Me gusta ir de excursión y ______________ me gusta ir a conciertos.

   a. tampoco b. ni…ni c. algún d. también

4. No vino ______________ a mi casa el viernes pasado.

   a. alguien b. tampoco c. nadie d. siempre

5. ¿Tienes _____________ guante de béisbol?

   a. algún b. alguno c. alguna d. ningún

7-29 "El Batazo". Complete the description of your favorite restaurant "El Batazo" with the passive **se** and the correct forms of the verbs listed below.

abrir cerrar decir hablar poder saber traer comer

Me gusta mucho el restaurante "El Batazo." (1)____________________ que es muy bueno y (2)____________________ que es barato. En "El Batazo" (3)____________________ español y (4)____________________ muy bien. Allí (5)____________________ ver a los jugadores cuando van a comer y (6)____________________ guantes y bates. "El Batazo" (7)____________________ a las doce del día, y (8)____________________ a las doce de la noche.

Nombre: ______________________________ Fecha: ____________________

LECCIÓN 8 ¿En qué puedo servirle?

PRIMERA PARTE

¡Así es la vida!

8-1 De compras. Reread the dialogues on page 241 of your textbook and complete the statements in Spanish.

1. Victoria y Manuel ______________________________ al centro de Lima.
2. La sección de ropa de mujeres está ______________________________.
3. Cuando Victoria le pidió la tarjeta de crédito a su mamá, ella ______________________________.
4. El padre de Manuel y Victoria les pidió un favor a sus hijos: ______________________________.
5. Manuel pagó los libros para sus clases con ______________________________.
6. Manuel va a encontrar a Victoria ______________________________.
7. Manuel va al Almacén Vigo ______________________________.
8. Las chaquetas están ______________________________ y las camisas están ______________________________.
9. Manuel usa la talla ______________________________.
10. La camisa que compra ______________________________.

¡Así lo decimos!

8-2 La ropa. Complete each statement with an appropriate word from **¡Así lo decimos!**

1. Cuando hace mucho frío, necesito un ____________________.
2. Cuando hace sol me pongo una ________________________.
3. Yo voy al ____________________ para pagar por el vestido.
4. Una mujer pone el dinero en la ____________________.
5. Si los pantalones le quedan muy grandes a alguien, necesita una ____________________ más pequeña.
6. Cuando llueve mucho, necesito un ____________________.
7. Cuando hace mucho frío y nieva, no llevas sandalias, llevas ____________________.
8. Cuando hace mucho calor, no llevas una camisa de manga larga, llevas una camisa de ____________________.
9. El algodón es una ____________________.
10. Cuando da un descuento, la tienda pone los artículos en ____________________.

8-3 ¿Qué ropa llevas? What do you wear in the following situations? Begin each statement with **llevo** and use colours or other adjectives that describe your clothing.

MODELO: A clase, *llevo vaqueros y una blusa azul. También llevo sandalias marrones.*

1. A una celebración familiar, ____.
2. Al centro estudiantil, ____.
3. A un partido de básquetbol, ____.
4. Cuando hace mucho frío, ____.
5. Cuando hace mucho calor, ____.

Nombre: ____ Fecha: ______________________

8-4 El/La cliente/a responde. You are shopping in a department store and a salesperson asks you the following questions. How do you respond? Write your answers in Spanish, in complete sentences.

Dependiente: Buenas tardes. ¿En qué puedo servirle?

Tú: (1) ____

Dependiente: ¿Cuál es su talla?

Tú: (2) ____

Dependiente: ¿Quiere probárselo en el probador?

Tú: (3) ____

Dependiente: ¿Qué más necesita?

Tú: (4) ____

Dependiente: ¿Cómo desea pagar?

Tú: (5) ____

8-5 El/La cliente/a pregunta. Now imagine that the salesperson answers you. What did you ask? Write the questions.

Tú: (1) ¿____?

Dependiente: La sección de ropa de mujeres está a la derecha.

Tú: (2) ¿____?

Dependiente: Las blusas en rebajas están aquí.

Tú: (3) ¿____?

Dependiente: Sí, claro. El probador está aquí.

Tú: (4) ¿____?

Dependiente: Le queda muy bien.

Tú: (5) ¿____?

Dependiente: No, no le queda grande. Está perfecta.

¡Así lo hacemos! Estructuras

1. The preterit of stem-changing verbs: *e* → *i* and *o* → *u*

8-6 ¿Qué pasó en el centro comercial? Describe what happened when everyone went shopping yesterday by completing each statement with the preterit forms of the verbs in parentheses.

1. Para llegar al centro comercial yo ________________ las instrucciones que me dio papá, pero los chicos ________________ las instrucciones de mi tío, y se perdieron. (seguir)
2. Andrés ________________ comprar unas botas, pero José y yo ________________ los zapatos deportivos. (preferir)
3. Tú no me ________________ el precio, me lo ________________ la dependienta. (repetir)
4. En la cafetería, el camarero no ________________ la comida, me la ________________ yo. (servir)
5. En la tienda de música yo ________________ música salsa, y Anita ________________ música hip hop. (pedir)

8-7 Muchas preguntas. Answer the following questions about what happened yesterday in Spanish, in complete sentences.

1. ¿Les pidió la profesora de español algo a los estudiantes ayer?

   ____.
2. ¿Qué prefirieron hacer por la noche tú y tus amigos?

   ____.
3. ¿Ustedes se rieron mucho?

   ____.
4. ¿Qué te sirvieron para la cena?

   ____.
5. ¿Cuántas horas durmió tu compañero/a de cuarto/de apartamento?

   ____.

Nombre: ______________________________________ Fecha: _____________________

2. Ordinal numbers

8-8 Números, números. Complete each statement with the ordinal number corresponding to the number in parentheses. Remember to use agreement.

1. Ana prefiere la (5) ____________________ chaqueta, la verde.
2. La loción de afeitar está en el (4) ____________________ mostrador.
3. La sección de ropa de hombres está en el (8) ______________________ piso.
4. ¡Es la (9) ______________________ tienda en la que entramos hoy!
5. El (2) ______________________ dependiente es al que necesitamos buscar.
6. El (7) ______________________ probador no está ocupado.
7. Es el (6) ______________________ par de zapatos que compro hoy.
8. Es la (3) ______________________ rebaja del año.
9. Los abrigos están en el (10) ______________________ piso de la tienda.
10. Hoy es el (1) ______________________ día de rebaja.

8-9 ¿Dónde está? Use the plan of Saga Falabella on the following page to state on which floor the following items can be found. Complete each statement with the correct information.

MODELO: Busco una blusa para mi hermana. Voy a la ___*cuarta*____ planta.

1. Necesito comprar un regalo para el bebé de mi hermana. Voy a la

   ______________________.
2. Quiero comprar una lámpara. Voy a la ______________________.
3. Mi reloj no funciona. Lo llevo a la ______________________.
4. Deseo una corbata para mi papá. Voy a la ______________________.
5. Necesito unos zapatos deportivos nuevos. Voy a la ______________________.
6. Me gusta leer y quiero comprar un libro nuevo. Voy al

   ______________________.

P

Servicios: Aparcamiento.

3-2

P-1

Servicios: Aparcamiento. Carta de compra. Taller de Montaje de accesorios de automóvil. Oficina postal.

1.º SÓTANO

Departamentos: Librería. Papelería. Juegos. Fumador. Mercería. Supermercado de Alimentación. Limpieza.

Servicios: Estanco. Patrones de moda.

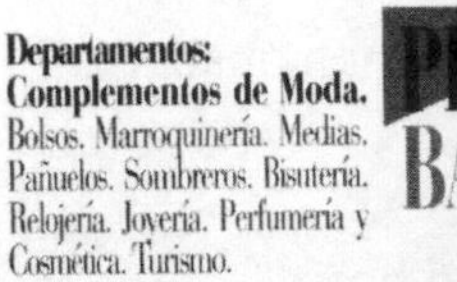

PLANTA BAJA

Departamentos: **Complementos de Moda.** Bolsos. Marroquinería. Medias. Pañuelos. Sombreros. Bisutería. Relojería. Joyería. Perfumería y Cosmética. Turismo.

Servicios: Reparación de relojes y joyas. Quiosco de prensa. Óptica 2.000. Información. Servicio de intérpretes. Objetos perdidos. Empaquetado de regalos.

1.ª PLANTA

Departamentos: **Hogar Menaje.** Artesanía. Cerámica. Cristalería. Cubertería. Accesorios automóvil. Bricolaje. Loza. Orfebrería. Porcelanas, (Lladró, Capodimonte). Platería. Regalos. Vajillas. Saneamiento. Electrodomésticos.

Servicios: Listas de boda. Reparación de calzado. Plastificación de carnés. Duplicado de llaves. Grabación de objetos.

2.ª PLANTA

Departamentos: **Niños/as.** (4 a 10 años). Confección. Boutiques. Complementos. Juguetería. **Chicos/as.** (11 a 14 años) Confección. Boutiques. **Bebés.** Confección. Carrocería. Canastillas. Regalos bebé. Zapatería de bebé. **Zapatería.** Señoras, caballeros y niños. **Futura Mamá.**

Servicios: Estudio fotográfico y realización de retratos.

3.ª PLANTA

Departamentos: **Confección de Caballeros.** Confección ante y piel. Boutiques. Ropa interior. Sastrería a medida. Artículos de viajes. Complementos de Moda. Zapatería. Tallas especiales.

Servicios: **Servicio al Cliente.** Venta a plazos. Solicitudes de tarjetas. Devolución de I.V.A. Peluquería de caballeros. Agencia de viajes y Centro de Seguros.

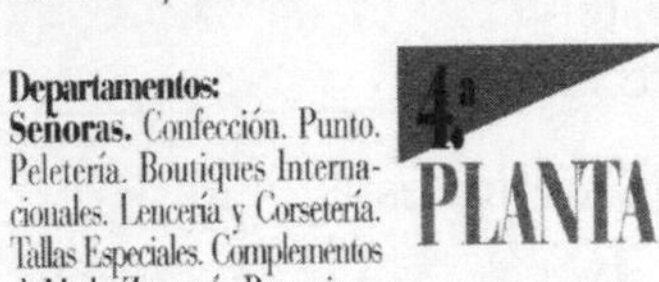

4.ª PLANTA

Departamentos: **Señoras.** Confección. Punto. Peletería. Boutiques Internacionales. Lencería y Corsetería. Tallas Especiales. Complementos de Moda. Zapatería. Pronovias.

Servicios: Peluquería de señoras. Conservación de pieles. Cambio de moneda extranjera.

5.ª PLANTA

Departamentos: **Juventud.** Confección. Territorio Vaquero. Punto. Boutiques. Complementos de moda. Marcas Internacionales. **Deportes.** Prendas deportivas. Zapatería deportiva. Armería. Complementos.

6.ª PLANTA

Departamentos: **Muebles y Decoración.** Dormitorios. Salones. Lámparas. Cuadros. **Hogar textil.** Mantelerías. Toallas. Visillos. Tejidos. Muebles de cocina.

Servicios: **Creamos Hogar.** Post-Venta. Enmarque de cuadros. Realización de retratos.

7.ª PLANTA

Departamentos: **Oportunidades** y Promociones.

Servicios: **Cafetería. Autoservicio** "La Rotonda". **Restaurante** "Las Trébedes".

ANEXOS

Preciados, 1. Tienda de la Electrónica: Imagen y Sonido. Hi-Fi. Radio. Televisión. Ordenadores. Fotografía. **Servicios:** Revelado rápido.

Preciados, 2 y 4. Discotienda: Compact Disc. Casetes. Discos. Películas de video. **Servicios:** Venta de localidades.

7. Mi madre quiere comprar toallas. Ella va a la ______________________.
8. Tengo hambre. Voy a la cafetería en la ____________________.
9. Necesito unas faldas. Voy a la ___________________.
10. Quiero conseguir una tarjeta de crédito. Voy a la __________________.

3. Demonstrative adjectives and pronouns

8-10 De compras. You are shopping at a department store. Indicate your preferences by completing each statement below with the correct demonstrative adjective.

1. Quiero (these) ____________________ camisas.
2. Prefiero (those) ____________________ zapatos.
3. No me gustan (those over there) ____________________ vaqueros.
4. Voy a comprar (that) ____________________ cinturón.
5. Deseo probarme (these) ____________________ blusas.

8-11 ¿Qué prefieres? At the store, a clerk asks you which of the following items you would like to buy. Reply, following the model and making changes when necessary.

MODELO: camisas (este/ése)
Prefiero estas camisas, no ésas.

1. falda (este/ése)

   ____

2. traje (ese/aquél)

   ____

3. calcetines (ese/aquél)

   ____

4. vestido (este/ése)

   ____

5. abrigo (ese/aquél)

   ____

6. bolsa (ese/aquél)

   ____

8-12 ¿Qué pregunta el dependiente? Following the model, state what the clerk is asking and what the customer prefers.

MODELO: (faldas / traje)
Dependiente: ¿Desea probarse estas faldas?
Cliente: *No gracias. Prefiero probarme ese traje.*

1. (blusa / saco)

   Dependiente: ______________________________

   Cliente: ______________________________

2. (chaqueta / suéteres)

   Dependiente: ______________________________

   Cliente: ______________________________

3. (guantes / gorros)

   Dependiente: ______________________________

   Cliente: ______________________________

4. (camisetas / pantalones cortos)

   Dependiente: ______________________________

   Cliente: ______________________________

5. (botas / sandalias)

   Dependiente: ______________________________

   Cliente: ______________________________

6. (impermeable / vestido)

   Dependiente: ______________________________

   Cliente: ______________________________

Nombre: ______________________ Fecha: ______________

SEGUNDA PARTE

¡Así es la vida!

8-13 ¿Qué compraste? Reread the conversation on page 252 of your textbook and answer the questions below in Spanish, in complete sentences.

1. ¿Qué está haciendo Victoria?

   ____

2. ¿Quién llama por teléfono a Victoria?

   ____

3. ¿Cuántas veces llamó Lucía a Victoria?

   ____

4. ¿Adónde fue Victoria?

   ____

5. ¿Qué compró Victoria primero?

   ____

6. ¿Qué compró en la joyería?

   ____

7. ¿Por qué fue a la perfumería?

   ____

8. ¿Cuál fue el artículo más caro que compró Victoria?

   ____

9. ¿Cómo pagó Victoria?

   ____

10. ¿Por qué necesita Victoria un vestido elegante?

    ____

¡Así lo decimos!

8-14 ¿Qué compras en estas tiendas? Match each product with the store where you would buy it.

1.	_____botas	a.	la farmacia
2.	_____rosas	b.	la joyería
3.	_____un frasco de colonia	c.	la perfumería
4.	_____unos aretes	d.	la zapatería
5.	_____cuadernos	e.	la librería
6.	_____aspirinas	f.	la papelería
7.	_____champú	g.	la florería
8.	_____una novela		
9.	_____un llavero de plata		

8-15 Unos regalos. Use words or expressions from **¡Así lo decimos!** to write what you will buy for each person on his or her birthday.

MODELO: A mi mamá ____*le compro un frasco de perfume*____.

1. A mis hermanas ____.
2. A mi novio/a ____.
3. A mi papá ____.
4. A mi mejor amigo/a ____.
5. A mi profesor/a de español ____.
6. A mi hermano menor ____.

Nombre: ______________________________ Fecha: ________________

¡*Así lo hacemos! Estructuras*

4. Comparisons of equality and inequality

8-16 Los centros comerciales. Your friends are comparing two shopping centres. Fill in the blanks to make comparisons of **equality**.

1. El Centro Arenales tiene ______________ tiendas como Megacompras.
2. El Centro Arenales es ______________ grande como Megacompras.
3. Las tiendas del Centro Arenales son ______________ caras ______________ las de Megacompras.
4. El Centro Arenales tiene ______________ pisos ______________ Megacompras.
5. El Centro Arenales está ______________ lejos ______________ Megacompras.
6. El Centro Arenales es ______________ atractivo ______________ Megacompras.
7. El Centro Arenales me gusta ______________ ______________ Megacompras.

8-17 Las hermanas. Cristina and Rosa are very similar. Compare them by turning each sentence into a comparative statement, using **tan...como**, **tanto/a(s)...como**, or **tanto como**.

MODELO: Cristina y Rosa son muy amables.
Cristina es tan amable como Rosa.

1. Cristina y Rosa tienen muchos amigos.

   ____.

2. Cristina y Rosa hablan mucho.

   ____.

3. Cristina y Rosa son muy responsables.

   ____.

4. Cristina y Rosa tienen mucha paciencia.

   ____.

5. Cristina y Rosa se enamoran mucho.

   ____.

6. Cristina y Rosa son muy simpáticas.

   ____.

7. Cristina y Rosa son muy bonitas.

____.

8. Cristina y Rosa tienen mucha ropa.

____.

8-18 Más comparaciones. Complete the following sentences with a comparison of **inequality**.

MODELO: Mi cinturón es barato, pero tu cinturón _*es más barato que mi cinturón.*_

1. Mi cartera es roja, pero tu cartera _______________________.
2. Nuestros anillos son hermosos, pero su anillo _______________________

____.

3. Mi corbata es atractiva, pero sus corbatas _______________________.
4. Nuestros calcetines son malos, pero sus calcetines _______________________

____.

5. Nuestros zapatos son buenos, pero sus zapatos _______________________

____.

6. Mi cadena es bonita, pero su cadena _______________________.
7. El dependiente es joven, pero la dependienta _______________________

____.

8. El mostrador es grande, pero el probador _______________________.
9. El saco y la chaqueta son pequeños, pero el vestido _______________________

____.

10. Sus pantalones son elegantes, pero sus sandalias _______________________

____.

Nombre: ____________________________________ Fecha: ____________________

8-19 Mi hermana y yo. Write six sentences comparing yourself to your sister or brother, or to your best friend. Use comparisons of **inequality**.

MODELO: *Yo soy más alta que mi hermana, pero ella tiene el pelo más largo.*

____

____

____

____

____

____

____

____

5. Superlatives

8-20 ¡A escoger! Choose the appropriate superlative phrase to complete the following statements.

1. Este centro comercial es ____________________ del mundo.
   a. la mejor b. el mejor c. los mejores d. las mejores
2. Estos vestidos son _______________ de la tienda.
   a. las más bonitas b. la más bonita c. los más bonitos d. el más bonito
3. Aquella cadena es _________________ de la joyería.
   a. la mejor b. el mejor c. los mejores d. las mejores
4. Este traje es __________________ de la tienda.
   a. la mejor b. el mejor c. los mejores d. las mejores
5. Aquellos aretes son _______________ de la joyería.
   a. las más caras b. la más cara c. los más caros d. el más caro
6. Este almacén es _________________ del centro comercial.
   a. la más popular b. el más popular c. las más populares d. los más populares

7. Esta tienda es _______________ de la ciudad.

a. las más baratas b. la más barata c. los más baratos d. el más barato

8. Estas camisas son _____________ de la tienda.

a. el peor b. la peor c. las peores d. los peores

8-21 Paco y Jorge. Paco likes to top whatever his friend Jorge says. Using comparative and superlative forms, write his responses to Jorge, following the model.

MODELO: **Jorge**: Mi camisa es cara.
(camisa /cara /mundo)
Paco: *Pues, mi camisa es más cara que tu camisa. Es la camisa más cara del mundo.*

1. **Jorge**: Mis guantes son muy buenos.

(guantes / mejor / almacén)

Paco: Pues, mis guantes son ____

Son ____

2. **Jorge**: Mis abrigos son muy buenos.

(abrigos / mejor / tienda)

Paco: Pues, mis abrigos son ____

Son ____

3. **Jorge**: Mi reloj es muy hermoso.

(reloj / hermoso / todos los relojes)

Paco: Pues, mi reloj es ____

Es ____

4. **Jorge**: Mis joyas son muy elegantes.

(joyas / elegante / mundo)

Paco: Pues, mis joyas son ____

Son ____

5. **Jorge**: Mi chaqueta es muy popular.

(chaqueta / popular / todo el país)

Paco: Pues, mi chaqueta es ____

Es ____

Nombre: ______________________________ Fecha: ________________

8-22 Preguntas personales. Answer the following questions in Spanish, in complete sentences.

1. ¿Quiénes en tu familia son mayores que tú?

____

2. ¿Quién en tu familia es menor que tú?

____

3. ¿Quién es la persona mayor de tu familia?

____

4. ¿Cómo se llama el (la) mejor de tus amigos?

____

5. ¿Cuál es la ropa más elegante que tienes?

____

6. ¿Cuál es el peor restaurante de la ciudad?

____

7. ¿Cuál es la clase más interesante que tomas?

____

8. ¿Quién es el/ la estudiante más inteligente de la clase?

____

NUESTRO MUNDO

8-23 El reino inca. Based on the information from **Nuestro mundo** on pages 264-265 of your textbook, decide whether the following statements are **cierto (C)** or **falso (F)**.

C F 1. En las Islas Galápagos no existe vida animal.

C F 2. El Centro de Investigación Charles Darwin está en las Galápagos.

C F 3. El galápago y la iguana marina son especies protegidas.

C F 4. El ceviche es un animal peruano.

C F 5. La alpaca tenía *(had)* importancia religiosa para los incas.

C F 6. La lana de la oveja es mejor que la de la alpaca.

C F 7. Una leyenda dice que Tayta Inti creó la civilización incaica.

C F 8. Cuenca es una ciudad moderna.

C F 9. La agricultura es importante para la economía ecuatoriana.

C F 10. La ciudad de Cuzco está en la costa.

8-24 La investigación. Select and research one of the following topics related to Perú or Ecuador. Use the Internet or library resources and prepare a brief presentation in Spanish to present to the class. The presentation can be visual (a poster with images and captions), a report, a summary, etc.

1. las leyendas de la creación de la civilización incaica
2. el trabajo del Centro de Investigación Charles Darwin
3. la cocina peruana
4. la ciudad de Cuenca
5. la importancia de las llamas y alpacas para los habitantes de la sierra

Nombre: ______________________________________ Fecha: _____________________

TALLER

8-25 De compras

Primera fase. Interview four or five students in your class to find out about their last trip to a department store or supermarket. Ask for information that will help you complete the following chart. Fill in information about your last shopping trip as well.

MODELO: *Alicia: Zapatería Villa Buena, con una amiga, el fin de semana pasado, dos pares de zapatos, 55 dólares*

ESTUDIANTE	¿ADÓNDE?	¿CON QUIÉN?	¿CUÁNDO?	¿QUÉ?	¿CUÁNTO PAGÓ?
TÚ					

Segunda fase. Now write a paragraph describing and comparing the different shopping trips using the information from the chart you completed in the **Primera fase**.

MODELO: *Alicia fue de compras con una amiga a la Zapatería Villa Buena el fin de semana pasado. Compró dos pares de zapatos por 55 dólares. Ella gastó menos dinero que Antonio. Antonio. . .*

____

____

____

____

____

____

8-26 En el Perú y el Ecuador. The shopping experience in other countries can seem very different for tourists from Canada. Look up advice for tourists shopping in Perú or Ecuador on the Internet or through library sources. Make a list in Spanish of dos and don'ts for shopping in the country you select. Then, make a similar dos and don'ts list in Spanish for foreigners shopping in your area. You may need to review the formal commands to write your lists.

En el Perú/el Ecuador:

____

____

____

____

____

____

En _____________:

____

____

____

____

____

____

Nombre: ___________________________________ Fecha: ____________________

¿CUÁNTO SABES TÚ?

8-27 Los verbos irregulares. Describe what everyone did at the party yesterday by completing each statement with the correct preterit form of the verbs in parentheses.

1. María Luisa (servir) ____________________ las bebidas.
2. Roberto y yo (preferir) ____________________ bailar.
3. Alejandro y Concepción se (sonreír) ____________________.
4. Brígida (pedir) ____________________ más ensalada.
5. Sus amigos (sentir) ____________________ la ausencia de Rosalía.
6. Tomás le (mentir) ____________________ a Bartolomé.
7. Ramón y Úrsula (repetir) ____________________ la comida tres veces.
8. Después de la fiesta todos nosotros (dormir) ____________________ mucho.

8-28 Los números ordinales. Read the list of sentences and establish a logical order by matching the statements with an ordinal number.

1.	_____ Me pruebo los pantalones.	a. primero
2.	_____ Salgo del centro comercial.	b. segundo
3.	_____ Busco la sección de ropa de hombres.	c. tercero
4.	_____ Pago los pantalones al contado.	d. cuarto
5.	_____ Entro en el centro comercial.	e. quinto
6.	_____ Voy a la caja.	f. sexto
7.	_____ Encuentro los pantalones que estoy buscando.	g. séptimo

8-29 Los adjetivos y pronombres demostrativos. Complete each sentence with the appropriate demonstrative adjective or pronoun.

1. Esta blusa es de mi hermana, pero ________________ es mi blusa.
   a. este b. aquella c. aquélla d. esa
2. La farmacia es __________________ tienda que está aquí.
   a. aquella b. esta c. aquélla d. este
3. Mi hermana no quiere este collar, sino que quiere ____________ que está allí.
   a. ésa b. ese c. esa d. ése
4. Mi padre trabaja en ______________ almacén allí lejos.
   a. esta b. ésta c. aquellos d. aquel
5. ______________________ camisas son de mi hermano.
   a. Aquellas b. Esta c. Esos d. Estos
6. ¿Qué es _______________ que tienes en la mano?
   a. estos b. este c. eso d. éste

8-30 Las comparaciones. Ramón likes to compare himself favourably to Rafael. Read the following paragraph and fill in the blanks to complete the comparisons, choosing words from the list. You will need to use some words more than once.

más mayor mejor menos

¡Yo soy (1) ________________________________ que Rafael! Para empezar, yo tengo veintidós años y Rafael tiene veinte. Yo soy (2) ______________________ que él. Yo estudio (3) _________________________ que él y sus clases son (4) ________________ fáciles que mis clases. Rafael es (5) ________________________ inteligente que yo. En deportes, yo juego (6) ______________________ que él al tenis, al fútbol y al básquetbol.

Nombre: ______________________ Fecha: ______________

LECCIÓN 9 Vamos de viaje

PRIMERA PARTE

¡Así es la vida!

9-1 Un viaje. Reread the conversation on page 271 of your textbook, and then complete the statements below in Spanish.

1. La nacionalidad de Mauricio y Susana es ______________________.
2. Ellos quieren ______________________.
3. Rosario Díaz es ______________________.
4. Susana dice que ellos están ______________________.
5. Mauricio quiere ______________________
   porque ______________________.
6. A Susana no le gusta la idea porque ______________________.
7. Rosario les muestra ______________________ que ofrece
   ______________________.
8. El viaje incluye ______________________
   y cuesta ______________________.
9. Después de leer el folleto, ellos deciden ______________________.
10. Un mes más tarde, ellos están en ______________________.
11. Antes de salir para Colombia, oyen ______________________.
12. El destino del vuelo 79 es ______________________.
13. Después de pasar por la puerta de salida, ellos están sentados
    ______________________.
14. Antes de despegar, ellos tienen que ______________________.

¡Así lo decimos!

9-2 Asociaciones. Match each word or expression from the first column with one from the column on the right.

_____	1.	el aduanero	a.	ida y vuelta
_____	2.	el pasaje	b.	despegar
_____	3.	la piloto	c.	la recogida de equipajes
_____	4.	el equipaje	d.	la tarjeta de embarque
_____	5.	el aeromozo	e.	la sala de espera
_____	6.	el asiento	f.	la aduana
_____	7.	el cinturón de seguridad	g.	la ventanilla
_____	8.	la demora	h.	volar

9-3 De viaje. Choose the word or expression that best completes each sentence.

1. Soy estudiante y no tengo mucho dinero. Compré un boleto de...
   a. clase turista.
   b. aduana.
   c. ida y vuelta.
2. Puse mi loción y mi máquina de afeitar dentro del….
   a. folleto.
   b. asiento.
   c. equipaje de mano.
3. Fui al mostrador para facturar…
   a. la reserva.
   b. el equipaje.
   c. el pasaje.

4. Hubo una demora en el vuelo a Bogotá. Fui a sentarme en la...

   a. aduana.

   b. sala de espera.

   c. cabina.

5. Había mucha gente subiendo al avión. Tuvimos que.

   a. cancelar el vuelo.

   b. abrocharnos el cinturón de seguridad.

   c. hacer cola.

6. La azafata me pidió...

   a la tarjeta de embarque.

   b. el cinturón de seguridad.

   c. el folleto.

7. Antes de despegar me abroché el...

   a. avión.

   b. pasillo.

   c. cinturón de seguridad.

8. El avión tuvo problemas. Tuvimos que salir por la...

   a. aduana.

   b. salida de emergencia.

   c. puerta de salida.

9. En un hotel, el precio incluye…

   a. folleto.

   b. pasaje de ida y vuelta.

   c. hospedaje.

10. Antes de comprar una excursión, es bueno leer el...

   a. folleto de información.

   b. aterrizaje.

   c. pasaje.

9-4 Cuestionario. How do you like to do things when you travel? Answer in Spanish, in complete sentences.

1. Cuando viajas en avión, ¿dónde prefieres sentarte y por qué?

____

2. ¿Compras tu pasaje en una agencia de viajes?

____

3. ¿Qué pones en tu equipaje de mano?

____

4. ¿Qué facturas y qué llevas en el avión? ¿Por qué?

____

5. ¿Qué haces si hay una demora con tu vuelo?

____

¡Así lo hacemos! Estructuras

1. The imperfect of regular and irregular verbs

9-5 ¿Qué hacían? Describe what everyone was doing in the airport. Complete the statements by matching the people in the left-hand column with the activities on the right.

_____ 1. El aduanero… a. leía en la sala de espera.

_____ 2. La estudiante… b. tomaban unas vacaciones.

_____ 3. La piloto… c. vendía pasajes.

_____ 4. El guía… d. subían al avión.

_____ 5. El agente de viajes… e. miraba el equipaje de los pasajeros.

_____ 6. La aeromoza… f. servía café y refrescos.

_____ 7. Los pasajeros… g. leía algunos folletos.

_____ 8. Los novios… h. aterrizaba el avión.

Nombre: ________________________________ Fecha: ____________________

9-6 Los recuerdos de la aeromoza. Complete the flight attendant's reminiscences with the imperfect forms of the verbs in parentheses.

Cuando yo (1. trabajar) ____________________ de aeromoza, nosotros (2. llegar) ____________________ al aeropuerto temprano, (3. conversar) ____________________ con los otros aeromozos y luego (4 subir) ____________________ al avión. Nuestro vuelo siempre (5. salir) ____________________ a las tres de la tarde. Antes de despegar, mientras el piloto (6. anunciar) ____________________ la salida del vuelo, mis compañeros y yo (7. atender) ____________________ a los pasajeros y les (8. mostrar) ____________________las instrucciones. Los pasajeros siempre (9. abrocharse) ____________________ el cinturón de seguridad y a veces, algunos de ellos (10. ponerse) ____________________ nerviosos. Generalmente, nosotros (11. volar) ____________________ a 12.000 metros de altura y durante el vuelo nosotros les (12. servir) ____________________ refrescos a los pasajeros. Cuando el avión (13. aterrizar)____________________, nosotros (14. ayudar) ____________________ a los pasajeros y les (15. desear) ____________________ buena suerte.

9-7 Recuerdos de nuestras profesiones. Complete the paragraphs with the correct forms of the indicated verbs in the imperfect.

1. **ser**

   Cuando yo ____________________ aeromozo, ____________________ muy amable con los pasajeros. Mis compañeros también ____________________ muy amables. Nuestra supervisora ____________________ muy paciente con ellos. Nosotros ____________________ un equipo muy unido.

2. **ir**

   Yo ____________________ de guía a muchas excursiones. Los turistas ____________________ de excursión por la mañana y por la noche ____________________ a las discotecas. Los domingos todos nosotros ____________________ de compras al centro.

3. **ver**

En mi profesión de aduanero, yo ____________________ muchos pasajeros. Los otros aduaneros ____________________ muchos pasajeros también. En la aduana mientras un aduanero ____________________ las maletas, el otro ____________________ el equipaje de mano. Bueno, nosotros ____________________ muchas cosas dentro de todos los equipajes.

9-8 Cuestionario. Answer the questions about your vacations when you were a child in Spanish, in complete sentences.

1. ¿Adónde iban de vacaciones cuando eras niño/a?

____

2. ¿Volaban o iban en coche?

____

3. ¿Cuánto tiempo pasaban allí?

____

4. ¿Veías a tus primos durante las vacaciones?

____

5. ¿Qué te gustaba hacer cuando estabas de vacaciones?

____

2. *Por* or *para*

9-9 ¡A completar! Fill in the blanks with **por** or **para**.

1. Emilio caminaba ____________________ el aeropuerto buscando la puerta de su salida.
2. ____________________ mí, viajar en avión es más interesante que viajar por coche.
3. Julio llegó al aeropuerto ____________________ la tarde.
4. Estuvimos en la sala de espera ____________________ dos horas.

5. Necesito la tarjeta de embarque ____________________ el vuelo.
6. ¿Compraste los billetes ____________________ mil dólares?
7. Carlos fue a la agencia de viajes ____________________ los boletos.
8. Busqué el folleto ____________________ ti.
9. Nosotros salimos ____________________ San Andrés.
10. Mañana ____________________ la noche, te llamo desde Caracas.

9-10 Decisiones. Decide whether to use **por** or **para** with the following sentences.

1. El avión salió ____________________ Colombia.
2. Nuestro viaje es ____________________ el martes.
3. El vuelo 79 es dos veces ____________________ semana.
4. El avión vuela a 600 millas ____________________ hora.
5. ____________________ mí, es la mejor aerolínea del mundo.
6. ____________________ ser tan joven, la piloto vuela muy bien.
7. ____________________ fin, salió el avión.
8. ¡____________________ Dios que me vuelvo loca con tantos pasajeros!
9. ____________________ ir a Colombia hay que tener un pasaporte.
10. La luz entraba ____________________ la ventanilla del avión.
11. El boleto es ____________________ viajar.
12. Este folleto es ____________________ ti.
13. Tú estudias ____________________ ser piloto.

9-11 Actividades durante las vacaciones. Describe your plans for an upcoming vacation by completing the paragraph using **por** or **para**.

El sábado salimos (1) ____________________ Venezuela. Fuimos (2) ____________________ los boletos ayer. Vamos (3) ____________________ avión y vamos a quedarnos allí (4) ____________________ dos semanas. El agente de viajes planeó muchas excursiones (5) ____________________ nosotros.

(6) __________________ las mañanas, vamos a hacer excursiones

(7) __________________ muchos lugares y (8) __________________ las tardes,

vamos a participar en varias actividades. Podemos dar un paseo (9) ________________

el parque nacional, montar a caballo (10) __________________ la playa o tomar sol

(11) __________________ una hora. (12) __________________ protegernos del sol

de Venezuela, el agente nos recomendó una loción bronceadora. Vamos a Venezuela

(13) __________________ descansar un poco y (14) __________________

divertirnos.

9-12 Tu viaje. Answer the questions about the last trip you took in Spanish, in complete sentences.

1. ¿Para dónde saliste?

   ____

2. ¿Viajaste por avión o por coche?

   ____

3. ¿Por cuánto tiempo fuiste?

   ____

4. ¿Pagaste mucho por el viaje?

   ____

5. ¿Compraste algún regalo para alguien?

   ____

Nombre: ________________________________ Fecha: __________________

SEGUNDA PARTE

¡Así es la vida!

9-13 Una carta. Reread the letter on page 282 of your textbook and answer the following questions in Spanish, in complete sentences.

1. ¿De dónde acaban de llegar Susana y Mauricio? ¿Cómo lo pasaron?

   ____

   ____

2. ¿Por cuánto tiempo estuvieron en San Andrés?

   ____

3. ¿Cómo era el hotel y cómo los trataron a ellos?

   ____

   ____

4. ¿Qué hacían ellos durante el día?

   ____

   ____

5. ¿Qué hicieron ellos el último día en San Andrés?

   ____

   ____

6. ¿Cómo era el hotel de Cartagena en comparación con el de San Andrés?

   ____

   ____

7. ¿Qué sitios visitaron ellos en Cartagena?

   ____

   ____

8. ¿Qué hacía Mauricio por las tardes?

   ____

   ____

¡Así lo decimos!

9-14 ¡A completar! Complete each statement with an appropriate word or expression from **¡Así lo decimos!**

1. Cuando hace mucho sol, tengo que ponerme ____________________ para ver bien.
2. Para no perderme en la ciudad consulto el ____________________.
3. En el jardín hay muchas ____________________ bonitas.
4. Nuestra ____________________ en el hotel fue por cuatro noches.
5. Quiero sacar más fotos. Necesito comprar un ____________________.
6. En el ____________________ hay muchos árboles *(trees)*.
7. La ____________________ desde mi balcón es impresionante.
8. El ____________________ nos llevó el equipaje al cuarto.
9. A mi papá le gusta ____________________ en el lago.
10. No sé ____________________ a caballo.
11. San Andrés es una ____________________.
12. El Amazonas es un ____________________ enorme.

¡Así lo hacemos! Estructuras

3. Preterit vs. imperfect

9-15 Ayer fue un día diferente. To find out how yesterday was different from other days, complete each statement with the correct imperfect or preterit form of the verb in parentheses.

1. David siempre ____________________ en el mar, pero ayer ____________________ en el lago. (nadar)
2. Mercedes y Víctor siempre ____________________ en un hotel de lujo, pero anoche ____________________ en un hotel pequeño. (quedarse)
3. Todas las mañanas nosotros ____________________ en el mar, pero ayer ____________________ en el río. (bucear)

4. Roberto y Alicia ____________________ todas las tardes, pero ayer no ____________________. (montar a caballo)
5. Generalmente, yo ____________________ los bosques, pero ayer ____________________ un volcán. (explorar)
6. A veces yo ____________________ el servicio de habitación, pero ayer no ____________________ nada. (pedir)
7. Yo siempre ____________________ en una cama grande, pero ayer ____________________ en una cama doble. (dormir)
8. Todos los días nosotros ____________________ de excursión, pero ayer no ____________________. (ir)

9-16 Las vacaciones. Choose the preterit or the imperfect form of each verb to complete the statements describing what happened at the summer camp.

1. María y Elena siempre (iban / fueron) ____________________ de excursión con los niños al bosque.
2. Paco (exploró / exploraba) ____________________ las montañas por las tardes.
3. Todos los días, nosotros (nadamos / nadábamos) ____________________ en la piscina.
4. Mientras Jorge les (leyó / leía) ____________________ un cuento a los niños, Margarita (dormía / durmió)____________________ una siesta.
5. Un sábado por la mañana, los niños no (se despertaron / se despertaban) ____________________ temprano y no (pudieron / podían) ____________________ ir al lago a pescar.
6. Frecuentemente, todos (cantaron / cantaban) ____________________ mientras Guillermo (tocó / tocaba) ____________________ la guitarra.
7. El domingo primero de julio, nosotros (hicimos / hacíamos) ____________________ un gran pícnic.
8. Después de cuatro semanas, los niños (se fueron / se iban) ____________________ a sus casas. (Era / Fue) ____________________ el final de las vacaciones.

9-17 El verano. Describe what happened during the summer by completing the following paragraph with the correct preterit or imperfect forms of the verbs in parentheses.

Todos los veranos yo (1. ir)____________________ a casa de mis tíos en el campo. Mis primos y yo (2. hacer)____________________ muchas cosas. Durante el día, nosotros (3. montar)____________________ a caballo. Por las tardes, mientras Benito (4. tocar)____________________ la guitarra, nosotros (5. cantar)____________________. Todos los sábados (6. salir)____________________ de excursión a las montañas. Allí siempre (7. jugar)____________________ y (8. nadar)____________________ en el río. Un día mi prima Isabel (9. escuchar) ____________________ un ruido *(noise)* que (10. venir)____________________ del bosque. Todos nosotros (11. correr)____________________ para ver qué (12. haber)____________________ allá. Al llegar al lugar (13. descubrir) ____________________ un salto muy bonito. Nosotros (14. tomar) ____________________ muchas fotos y luego (15. regresar)____________________ a la casa. Todos nosotros (16. estar)____________________ contentos. Yo nunca voy a olvidar ese verano.

9-18 Más preguntas. Answer the questions about your summer vacation in Spanish, in complete sentences, paying attention to your use of the preterit and the imperfect tenses.

1. ¿Dónde pasaste las vacaciones el año pasado?

   ____

2. ¿Cómo era?

   ____

3. ¿Qué tiempo hacía?

   ____

4. ¿Visitaste algunos sitios interesantes?

   ____

5. ¿Qué hacías todos los días? ¿Qué hiciste sólo una vez?

   ____

Nombre: ______________________________ Fecha: ____________________

4. Adverbs ending in *-mente*

9-19 ¿Cómo hacen su trabajo estas personas? Describe how these airline employees behave on the job by completing each sentence with the adverbial form of an adjective from the list.

alegre claro cuidadoso elegante general lento rápido solo

1. La azafata es muy simpática y está contenta. Nos habla ____________________.
2. El empleado nos prepara el boleto ____________________ porque tenemos mucha prisa.
3. Estas azafatas llevan ropa muy bonita y cara. Se visten ____________________.
4. ____________________, los pilotos vuelan ____________________ dos o tres veces a la semana.
5. La azafata ayudó a mi abuelo que caminaba ____________________ hacia la puerta de salida.
6. El agente de viajes nos explicó el itinerario de los dos viajes muy ____________________.
7. Las azafatas estudian mucho para aprender a reaccionar ____________________ en una emergencia.

9-20 ¿Cómo lo haces? Indicate how you do each activity using an adverb formed from one of the adjectives below or from any other adjective.

cuidadoso difícil elegante fácil frecuente lento maravilloso rápido

1. Trabajo____.
2. Camino____.
3. Siempre me visto ____________________________________.
4. Hablo español _____________________________________.
5. Hago la tarea de español ______________________________.
6. Juego al básquetbol _________________________________.
7. Aprendo matemáticas ________________________________.
8. Bailo____.

NUESTRO MUNDO

9-21 Los países caribeños de Suramérica. Based on the information from **Nuestro mundo** on pages 294-295 of your textbook, decide whether the following statements are **cierto (C)** or **falso (F)**.

C F 1. Cartagena de Indias era importante para los españoles por su puerto.

C F 2. Hoy en día Cartagena de Indias es una ciudad industrial.

C F 3. La leyenda de El Dorado se originó en un rito religioso de los indios chibchas.

C F 4. Venezuela es rica en piedras preciosas.

C F 5. Fernando Botero es un novelista importante.

C F 6. Las novelas de Gabriel García Márquez son ejemplos del realismo mágico.

C F 7. García Márquez ganó el Premio Nóbel de Literatura en 1969.

C F 8. La Isla Margarita es una reserva natural donde no se pueden practicar deportes acuáticos.

C F 9. La Isla Margarita está en el Mar Caribe.

C F 10. La capital de Colombia está en la costa.

9-22 La investigación. Select and research one of the following topics related to Colombia or Venezuela. Use the Internet or library resources and prepare a brief presentation in Spanish to present to the class. The presentation can be visual (a poster with images and captions), a report, a summary, etc.

1. la leyenda de El Dorado
2. la obra de Fernando Botero
3. el turismo en Cartagena de las Indias
4. la industria petrolera venezolana
5. los hoteles de Isla Margarita
6. una de las novelas de Gabriel García Márquez

TALLER

9-23 Un viaje desastroso.

Primera fase. Imagine that you took a trip that turned out to be a disaster. List the following information.

¿Dónde? ______________________________

¿Cuándo? ______________________________

¿Cómo? (el transporte) ______________________________

¿Con quién? ______________________________

¿Actividades? ______________________________

¿Problemas? ______________________________

____

____

Segunda fase. Now, use the information you listed in the **Primera fase** to organize a narration describing the disastrous trip. Use the preterit and the imperfect in your narration.

____

____

____

____

____

____

____

____

____

____

____

____

____

____

9-24 Las vacaciones y los viajes. Colombia and Venezuela have many attractive vacation opportunities. Whether you want lazy days on the beach, an eco-tourist adventure in a rainforest, or a mountain biking expedition through the Andes, you'll find a place in Colombia or Venezuela. Decide what kind of vacation you would like to take if you could travel to Colombia or Venezuela. Use the Internet or library resources to look up vacation/travel packages and try to do some comparison shopping as you explore the opportunities. Organize the information you find in Spanish in the chart below.

PAÍS / CIUDAD	TRANSPORTE	HOTEL	AMENIDADES	ACTIVIDADES	COSTO	MISCELÁNEA

Nombre: ______________________________ Fecha: ________________

¿CUÁNTO SABES TÚ?

9-25 El imperfecto. Describe what the following people used to do whenever they travelled by completing each sentence with the correct imperfect form of the verb in parentheses.

1. Cuando Ana viajaba, ella (comprar) ________________ sus boletos en la agencia de viajes.
2. Mis padres (pedir) ________________ asientos de pasillo.
3. Juan nunca (saber) ________________ el número de vuelo.
4. Antes de subir al avión nosotros (facturar) ________________ el equipaje.
5. Los niños (jugar) ________________ en sus asientos.
6. Mucha gente (leer) ________________ el periódico.
7. Andrea les (escribir) ________________ unas postales a sus amigos.
8. La azafata nos (servir) ________________ los refrescos.
9. La pareja (dormir) ________________ durante el viaje.
10. Las chicas (reírse) ________________ de la película.

9-26 *Por* y *para*. Fill in the blanks with **por** or **para** to complete the paragraph.

Hoy (1) ______________ la mañana fui a la agencia de viajes (2) ______________ preguntar el precio de un viaje a la Isla Margarita. Quiero ir de vacaciones (3) ______________ una semana y salgo (4) ______________ la Isla Margarita la semana que viene. Necesito tener el viaje pagado (5) ______________ el lunes y, (6) ______________ supuesto, espero pasarlo muy bien.

9-27 El pretérito y el imperfecto. Complete the following story with the correct form of the preterit or imperfect of each verb in parentheses.

(1. Haber)________________ una vez un chico que (2. llamarse) ________________ Clodoveo, pero sus amigos le (3. decir)________________ "Clodoveo el feo", porque (4. ser)________________ muy feo. Todos los veranos,

Clodoveo (5. ir)____________________ con su familia a visitar un parque nacional que (6. quedar)____________________ lejos de su casa. Un día, la familia de Clodoveo (7. conocer)____________________ a la familia Bello en el parque. Los Bello (8. tener)____________________ una hija que (9. llamarse)____________________ Florinda. Ella (10. ser)____________________ tan linda que sus amigos le (11. decir)____________________ "Florinda la linda". Clodoveo y Florinda (12. comenzar)____________________ a salir y (13. empezar)____________________ a hacer muchas cosas juntos. A menudo, ellos (14. caminar)____________________ por el bosque, (15. montar)____________________ a caballo o (16. pescar) ____________________ en el lago. Florinda le (17. gustar)____________________ mucho a Clodoveo, pero él no (18. saber)____________________ cómo decírselo. Un día, mientras los dos (19. caminar)____________________ por el bosque, Clodoveo le (20. cantar)____________________ una canción romántica a Florinda. Después le (21. decir)____________________ que la (22. querer)____________________ mucho y le (23. dar)____________________ unas flores que (24. ser)____________________ muy bellas. Florinda (25. ponerse)____________________ tan contenta que le (26. dar)____________________ un beso a Clodoveo y (27. enamorarse) ____________________ de él. Dos años más tarde, Clodoveo y Florinda (28. casarse)____________________. Ellos (29. tener)____________________ muchos hijos y (30. vivir)____________________ muy felices.

9-28 Los adverbios. Complete the following statements with adverbs formed from the adjectives in parentheses.

1. Pagué el pasaje (inmediato) ______________________________.
2. Subí al avión (tranquilo) ______________________________.
3. Me abroché el cinturón (rápido) ______________________________.
4. La aeromoza nos trató (amable) ______________________________.
5. El piloto aterrizó el avión (cuidadoso) ______________________________.
5. Los pasajeros salieron del avión (lento)______________________________.

Nombre: ______________________________ Fecha: ____________________

LECCIÓN 10 ¡Tu salud es lo primero!

PRIMERA PARTE

¡Así es la vida!

10-1 ¡Qué mal me siento! Reread the conversations on page 303 of your textbook and complete the following statements with the missing information.

1. Don Remigio le dice a su esposa que ______________________________.
2. Doña Refugio quiere llevarlo ______________________________.
3. El médico se llama ______________________________.
4. A don Remigio le duelen ______________________________

   ______________________________.
5. El médico dice que tiene ______________________________.
6. Don Remigio es alérgico ______________________________.
7. Él tiene que tomar pastillas ______________________________.
8. El doctor Estrada quiere verlo la próxima semana para

   ______________________________.

¡Así lo decimos!

10-2 ¡A completar! Complete each statement by filling in the blanks with a word or expression from the following list.

boca	diagnóstico	dolor de cabeza	los pulmones	radiografía
receta	sangre	se torció el tobillo	tenía náuseas	tomarse la temperatura

1. Si alguien cree que tiene fiebre, debe ______________________________.
2. Después de examinarte, la médica te da el ______________________________.
3. Cuando nos rompemos un hueso, debemos ir a radiología para una

   ____________________.
4. Cuando alguien está enfermo, a veces el médico le ____________________

   unas pastillas.
5. Si uno tiene ____________________, debe tomarse dos aspirinas.

6. Cuando era niño, Antonio siempre ____________________ cuando viajaba en el coche de sus padres. Le dolía mucho el estómago y vomitaba.
7. Esta semana Jorge no puede hacer ejercicio con nosotros porque la semana pasada, ____________________ cuando corríamos.
8. Los dientes y la lengua están dentro de la ____________________.
9. La ____________________ es un líquido rojo que pasa por todo el cuerpo.
10. Los órganos que usamos para respirar son ____________________.

10-3 ¿Qué me recomienda usted? You are a doctor and need to recommend various courses of action to your patients. Respond to each complaint, using an expression from the list below and the **usted** command form.

tomar este antibiótico por diez días
hacer una cita conmigo la semana que viene si no se siente mejor
dejar de fumar
tomar este jarabe para la tos
ir al hospital para una radiografía
tomar muchos líquidos y guardar cama
tomar dos aspirinas y llamarme por la mañana
tomar un antiácido

1. Me duele mucho la garganta.

   ____.

2. Toso tanto que no puedo dormir.

   ____.

3. Creo que me rompí el dedo del pie.

   ____.

4. Me duele mucho la cabeza.

   ____.

5. Creo que tengo un resfriado.

   ____.

6. No puedo respirar bien cuando hago ejercicio.

   ____.

7. Comí demasiado y ahora me duele el estómago.

   ____.

Nombre: ______________________________ Fecha: ____________________

10-4 El cuerpo. Identify the numbered parts of the body in the illustration below.

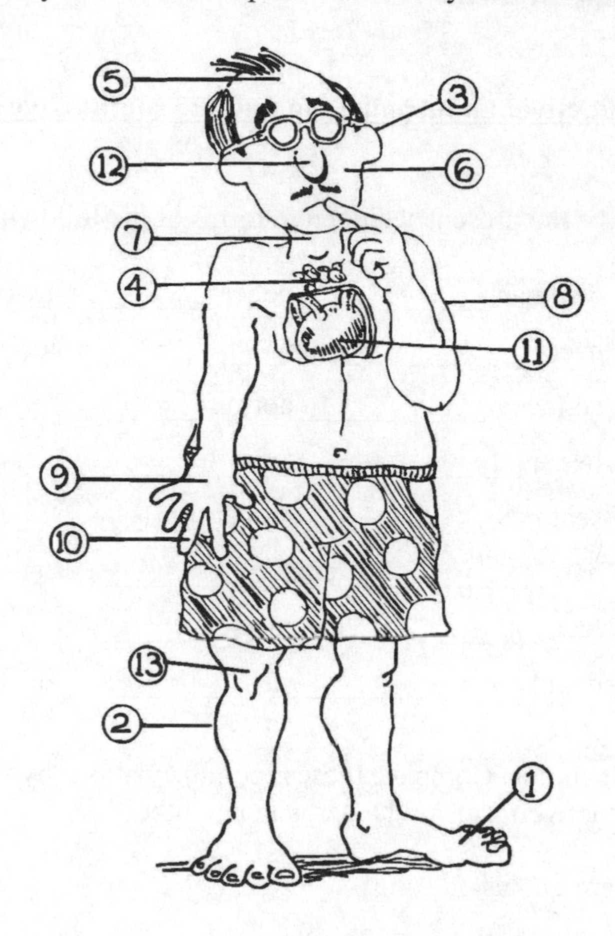

1. ______________________
2. ______________________
3. ______________________
4. ______________________
5. ______________________
6. ______________________
7. ______________________
8. ______________________
9. ______________________
10. ______________________
11. ______________________
12. ______________________
13. ______________________

¡Así lo hacemos! Estructuras

1. The Spanish subjunctive: an introduction and the subjunctive in noun clauses

10-5 ¡A practicar! Give the present subjunctive forms of the following verbs.

1. **nosotros**: caminar ____________ beber ____________ escribir ____________
2. **ellos**: hacer ____________ oír ____________ traer ____________
3. **yo**: conocer ____________ dormir ____________ sentarse ____________
4. **ustedes**: llegar ____________ seguir ____________ sacar ____________
5. **tú**: sentirse ____________ buscar ____________ ser ____________
6. **él**: dar ____________ venir ____________ estar ____________
7. **usted**: leer ____________ levantarse ____________ salir ____________
8. **ella**: devolver ____________ ir ____________ decir ____________

10-6 Unas recomendaciones. Complete these recommendations by filling in the blanks with the present subjunctive forms of the verbs in parentheses.

1. El médico quiere que usted…

   (fumar) ____________________ menos.

   (respirar) ____________________ fuerte.

   (guardar) ____________________ cama.

   (sacar) ____________________ la lengua.

2. Los médicos quieren que tú…

   (ir) ____________________ a hacerte una radiografía.

   (hacer) ____________________ una cita con ellos.

   (traer) ____________________ las radiografías a la cita.

   (estar) ____________________ en el hospital a las cinco.

3. El hospital quiere que nosotros…

   (pagar) ____________________ la cuenta.

   (hablar) ____________________ con el médico.

   (venir) ____________________ quince minutos antes de la hora de la cita.

   (llegar) ____________________ una hora antes de la operación.

Nombre: ______________________________ Fecha: ____________________

4. La enfermera quiere que yo…

(sacar) ____________________ la lengua.

(tomarse) ____________________ la temperatura.

(comprar) ____________________ el jarabe.

(darle) ____________________ mi número de teléfono.

5. Los padres no quieren que sus niños…

(tener) ____________________ resfriados durante el viaje.

(enfermarse) ____________________.

(romperse) ____________________ ningún hueso.

(toser) ____________________ más.

10-7 Mamá está enferma. Our mother is sick and our brother, Felipe, is in charge. Write out the things he wants us to do.

MODELO: Julio / llamar al medico
Felipe quiere que Julio llame al médico.

1. Rogelio / ir a la farmacia

   Felipe quiere ____.

2. Ernesto y Carlos / buscar las pastillas

   Felipe quiere ____.

3. nosotros / comprar el jarabe

   Felipe quiere ____.

4. yo / atender a mamá

   Felipe quiere ____.

5. tú / bañar a Anita

   Felipe quiere ____.

6. Ramiro / hacerle una cita a mamá con el médico

   Felipe quiere ____.

7. Paula y yo / cocinar hoy

   Felipe quiere ____.

8. papá / salir temprano y comprar los antibióticos

   Felipe quiere ____.

2. The *nosotros* commands

10-8 El profesor de medicina. You are teaching at a university hospital. Here is what you tell your students. Complete each statement with the **nosotros** command of the verb in parentheses.

MODELO: (Hacer) ________________ la operación a las cinco.
Hagamos la operación a las cinco.

1. (Tratar) ______________________ bien a los pacientes.
2. (Hablar) ______________________ mucho con los pacientes.
3. (Ir) ______________________ a las seis al consultorio todos los días.
4. (Estudiar) ______________________ todos los síntomas de los pacientes.
5. (Consultar)______________________ la información con la enfermera.
6. No (recetar) ______________________ antibióticos frecuentemente.
7. (Venir) ______________________ a ver a los pacientes dos veces al día.
8. (Poner) ______________________ siempre atención a todo.

10-9 En el hospital. Your new colleague in the hospital where you work is always asking your opinion about what task you should both do next. Answer each of your colleague's questions affirmatively, using object pronouns to avoid repetition.

MODELO: ¿Empezamos la operación?
Sí, empecémosla ahora.

1. ¿Visitamos a los pacientes ahora?

   ____.

2. ¿Estudiamos los síntomas?

   ____.

3. ¿Escribimos la receta?

   ____.

4. ¿Leemos el diagnóstico?

   ____.

5. ¿Buscamos el jarabe?

   ____.

10-10 El interno. You are an intern in a hospital and you ask your medical professors for advice. One agrees with you and the other doesn't. Use the **nosotros** command to express their responses and use object pronouns to avoid repetition.

MODELO: preparar el horario de trabajo
Tú: *¿Preparamos el horario de trabajo?*
Profesor 1: *Sí, preparémoslo.*
Profesor 2: *No, no lo preparemos.*

1. **leer la radiografía**

   Tú: ¿Leemos la radiografía?

   Profesor 1: ______________________________

   Profesor 2: ______________________________

2. **ver al especialista**

   Tú: ¿Veamos al especialista?

   Profesor 1: ______________________________

   Profesor 2: ______________________________

3. **conseguir más pastillas**

   Tú: ¿Conseguimos más pastillas?

   Profesor 1: ______________________________

   Profesor 2: ______________________________

4. **pedir la información al enfermero**

   Tú: ¿Le pedimos la información al enfermero?

   Profesor 1: ______________________________

   Profesor 2: ______________________________

5. **recetar más antibióticos**

   Tú: ¿Recetamos más antibióticos?

   Profesor 1: ______________________________

   Profesor 2: ______________________________

6. **ponerles inyecciones a los pacientes**

   Tú: ¿Les ponemos inyecciones a los pacientes?

   Profesor 1: ______________________________

   Profesor 2: ______________________________

7. **repetir el examen físico a don Remigio**

Tú: ¿Le repetimos el examen físico a don Remigio?

Profesor 1: ______________________________

Profesor 2: ______________________________

8. **operar al niño**

Tú: ¿Operamos al niño?

Profesor 1: ______________________________

Profesor 2: ______________________________

SEGUNDA PARTE

¡Así es la vida!

10-11 Mejora tu salud. Answer the following questions based on the article on page 314 of your textbook in Spanish, in complete sentences.

1. ¿Por qué es importante vigilar la alimentación?

______________________________.

2. ¿Qué enfermedades cobran vidas?

______________________________.

3. ¿Cómo se puede reducir el riesgo de estas enfermedades?

______________________________.

4. Según el artículo, ¿qué alimentos se deben limitar?

______________________________.

5. ¿Qué alimentos son buenos?

______________________________.

6. ¿Qué otros factores contribuyen a la buena salud?

______________________________.

Nombre: ______________________________________ Fecha: _____________________

¡Así lo decimos!

10-12 ¡A escoger! Select the most appropriate word or phrase to complete each statement and write it in the space provided.

1. Si alguien desea adelgazar, necesita eliminar de su dieta ____________________.

    a. las frutas

    b. la grasa

    c. las legumbres

2. Para estar en forma, se necesita ____________________.

    a. fumar

    b. engordar

    c. vigilar la dieta

3. Para subir de peso, se necesita ____________________.

    a. estar a dieta

    b. adelgazar

    c. comer muchos carbohidratos

4. Nosotros necesitamos tener bajo el ______________.

    a. cigarrillo

    b. colesterol

    c. estar a dieta

5. Se compran los alimentos más saludables en ____________________.

    a. el centro naturista

    b. la pastelería

    c. la mueblería

6. Para ponernos en forma, tenemos que ____________________.

    a. comer más

    b. hacer jogging

    c. subir de peso

7. Un alimento rico en proteínas es el ____________________.

    a. pescado

    b. azúcar

    c. aceite

8. Un tipo de ejercicio es ____________________.

   a. guardar la línea
   b. levantar pesas
   c. el bienestar

10-13 Cuestionario. Answer the questions below in Spanish, in complete sentences.

1. ¿Cómo guardas la línea?

   ____.

2. ¿Quieres adelgazar o engordar?

   ____.

3. ¿Necesitas ponerte en forma?

   ____.

4. Cuando haces ejercicio, ¿qué haces?

   ____.

5. ¿Vigilas la dieta?

   ____.

6. ¿Qué tipos de alimentos comes?

   ____.

Nombre: ______________________________ Fecha: ____________________

¡Así lo hacemos! Estructuras

3. The subjunctive to express volition

10-14 En el consultorio del médico. Complete the paragraphs about what people in the doctor's office recommend and prefer with the correct present subjunctive forms of the verbs in parentheses.

1. El médico recomienda que la joven (dormir) ____________________ mucho esta noche y que (beber) ____________________ muchos líquidos. También recomienda que no (hacer) ____________________ ejercicio por una semana. Insiste en que no (correr) ____________________, no (nadar) ____________________ y no (bailar) ____________________.
2. La recepcionista prefiere que yo (hablar) ____________________ con ella y que (pagar) ____________________ la cuenta inmediatamente. Quiere que le (pedir) ____________________ al médico la fecha de la próxima cita. También quiere que la (llamar) ____________________ si necesito hablar con el médico.
3. La doctora recomienda que nosotros (levantarse) ____________________ tarde y que (acostarse) ____________________ temprano. Sugiere que no (trabajar) ____________________ por dos o tres días y que (empezar) ____________________ a descansar más. También sugiere que (comer) ____________________ más frutas y vegetales y que (dormir) ____________________ más.

10-15 Consejos. Give advice to your friends by completing the statements below, using the subjunctive forms of the suggestions in the following list.

beber menos	hacer jogging	(no) hacerlo
ponerte a dieta	dejar de fumar	hacer ejercicios aeróbicos

1. Siempre estoy muy cansada.

   Te sugiero que ____.
2. Mi colesterol está muy alto. ¿Qué hago?

   Te recomiendo que ____.

3. No duermo bien. ¿Qué me puedes aconsejar?

   Te aconsejo que ____.

4. Mi amigo fuma cigarrillos y bebe muchas bebidas alcohólicas.

   Dile que ____.

5. No sé si debo ponerme a dieta. ¿Qué te parece?

   Te sugiero que ____.

10-16 Una vida saludable. Describe how Pablo and his friends are going to go about adopting healthier lifestyles by completing the explanation below with the appropriate forms of the **subjunctive**, **indicative** or **infinitive** of the verbs in parentheses.

Uno de nuestros amigos, Pablo, participa en un programa de salud. Ahora insiste en que nosotros (1. participar)__________________ con él. Desea que todos nosotros (2. estar) __________________ sanos y que no (3. enfermarse)__________________. Pablo dice que el programa (4. ser)__________________ fácil y que nosotros (5. poder)__________________ empezarlo inmediatamente, pero también nos recomienda que (6. hacer)__________________ una cita con el médico antes de (7. empezar)__________________ el programa. Nos sugiere que (8. correr) __________________ un poco todos los días y que (9. hacer)__________________ ejercicio con él. Es necesario (10. continuar)__________________ con el programa por dos meses, según Pablo. Durante una práctica de ejercicios, desea que (11. tocarse) __________________ los dedos de los pies con los dedos de la mano. En otra práctica, nos aconseja que (12. levantar)__________________ las piernas y que las (13. bajar)__________________ lentamente. Es necesario (14. respirar) __________________ normalmente durante toda la práctica. Nos pide que (15. ver) __________________ un video de ejercicios antes de (16. practicar) __________________ . ¡Vamos a (17. sentirse)__________________ perfectamente bien muy pronto!

Nombre: ______________________________ Fecha: ________________

10-17 Recomendaciones. Give your friend some recommendations about staying in good health by completing the following sentences. Use a different verb in each sentence.

1. Te recomiendo que ________________________________.
2. Te mando que no ________________________________.
3. Te aconsejo que ________________________________.
4. Te pido que ________________________________.
5. Te prohíbo que ________________________________.
6. Te digo que tú y tus amigos ________________________________.
7. También les sugiero que ustedes________________________________.
8. Deseo que ustedes ________________________________.

4. The subjunctive to express feelings and emotion

10-18 En el gimnasio. Form complete sentences using the cues provided. Make all necessary changes and add any other necessary words.

MODELO: (yo) / esperar / (tú) / hacer ejercicios
Espero que hagas ejercicios.

1. (yo) / enojarse / (tú) / no cuidarse / mejor

____

2. ¿(tú) / temer / haber / mucho / grasa / en el chocolate?

____

3. (nosotros) / sentir / (tú) / no poder / ir al gimnasio / esta / tarde

____

4. ¿(ustedes) / lamentar / el club / no estar / abierto?

____

5. mis amigos / esperar / (yo) / hacer / ejercicio / con ellos

____

6. Pablo / estar / contento / nosotros / levantar pesas / hoy

____

7. el atleta / sorprenderse de / ellos / fumar / después /correr

____

8. el entrenador / insistir / todos / nosotros / participar

____

9. ¿(usted) / alegrarse / yo / mantenerse / en forma?

____

10. me / sorprender / tú / estar / dieta

____

10-19 La vida de Luis. Complete the paragraph about Luis' career plans with the appropriate forms of the **subjunctive**, **indicative**, or **infinitive** of the verbs in parentheses.

Los padres de Luis desean que él (1. estudiar)________________ para (2. ser)________________ abogado, pero él quiere (3. estudiar) ________________ medicina. Todos los días les dice a sus padres que (4. querer) ________________ ser médico, pero ellos prefieren que (5. ser) ________________ abogado. Prefieren la profesión de abogado porque creen que los médicos nunca (6. tener)________________ tiempo para nada. Esperan que su hijo (7. divertirse)________________ y que no (8. trabajar)________________ siempre. Luis dice que sus padres no (9. tener)________________ razón pero comprende también que ellos (10. querer)________________ que él (11. estar) ________________ contento. Finalmente, los padres le dicen que la decisión (12. ser) ________________ suya y que no les molesta que (13. ir) ________________ a ser médico. Él se alegra mucho de que sus padres (14. comprender) ________________ y que (15. respetar) ________________ su decisión.

Nombre: ________________________________ Fecha: ____________________

10-20 Tu familia y tu salud. Write at least five sentences describing the things you fear, hope for, and are happy about regarding your family and your health, using the expressions below.

MODELO: *Me alegro de que mis padres estén bien. Temo que se enferme mi abuela.*

espero que	me enoja que	estoy triste de que	me preocupa que
lamento que	temo que	me alegro de que	

1. ____.
2. ____.
3. ____.
4. ____.
5. ____.

NUESTRO MUNDO

10-21 Países sin mar. Based on the information from **Nuestro mundo** on pages 324-325 of your textbook, indicate whether the following statements are true for Paraguay, for Bolivia, or for both countries.

1. El país no tiene salida al mar.
   a. Paraguay   b. Bolivia   c. Paraguay y Bolivia
2. El país tiene frontera con Brasil.
   a. Paraguay   b. Bolivia   c. Paraguay y Bolivia
3. El cultivo de ganado es económicamente muy importante.
   a. Paraguay   b. Bolivia   c. Paraguay y Bolivia
4. La minería es de mucha importancia para la economía del país.
   a. Paraguay   b. Bolivia   c. Paraguay y Bolivia
5. La capital del país está situada a una altura considerable.
   a. Paraguay   b. Bolivia   c. Paraguay y Bolivia
6. El río Paraná cruza este país.
   a. Paraguay   b. Bolivia   c. Paraguay y Bolivia
7. El mate es una bebida muy popular en este país.
   a. Paraguay   b. Bolivia   c. Paraguay y Bolivia

8. En este país los niños aprenden en una lengua indígena en la escuela.
   a. Paraguay b. Bolivia c. Paraguay y Bolivia
9. Este país tiene altiplanos y selvas.
   a. Paraguay b. Bolivia c. Paraguay y Bolivia
10. El español es idioma oficial en este país.
   a. Paraguay b. Bolivia c. Paraguay y Bolivia

10-22 La investigación. Select and research one of the following topics related to Paraguay or Bolivia. Use the Internet or library resources and prepare a brief presentation in Spanish to present to the class. The presentation can be visual (a poster with images and captions), a report, a summary, etc.

1. la cultura de los guaraníes
2. la minería en Bolivia
3. la costumbre de tomar mate
4. la educación bilingüe en Paraguay
5. la artesanía tradicional boliviana

TALLER

10-23 Nuestra salud este mes

Primera fase. Interview three classmates to find out what health problems they have had in the last thirty days. Use the chart below to record the information. Fill in information about yourself as well.

ESTUDIANTE:				TÚ
veces enfermo/a				
resfriado				
gripe				
fiebre				
dolor de estómago				
dolor de cabeza				
clínica/ hospital				
¿…?				

Segunda fase. Now, use the information from the chart in the **Primera fase** to write a brief report on the health of the students in your class. Try to make some general assessments, as well as provide some specific cases.

MODELO: *Este mes, varios estudiantes tuvieron dolor de estómago. Ana tuvo que ir al hospital porque. . .*

____

____

____

____

____

____

____

____

10-24 La medicina en el altiplano. For years, medical doctors would treat patients in high altitude areas such as La Paz, Bolivia, based on their sea-level training. Today, medical researchers are trying to find out more about health in high altitudes. Look up information on the Internet or through library resources about the effects of high altitude on health. What are some of the remedies for ill effects? Organize the information you find in Spanish, in point form.

____

____

____

____

____

____

____

____

¿CUÁNTO SABES TÚ?

10-25 Recomendaciones. Match the health problems on the left with the doctor's recommendations on the right.

1.	Tengo dolor de cabeza.	a.	Coma menos grasa.
2.	Quiero bajar de peso.	b.	Compre un jarabe.
3.	Me duele la garganta.	c.	No use mucho esa mano.
4.	Estoy resfriada.	d.	Busque una cama más dura.
5.	Tengo mucha tos.	e.	Consulte un dentista.
6.	Me torcí el dedo de la mano.	f.	Tome una aspirina.
7.	Tengo dolor de muelas.	g.	Descanse y tome líquidos.
8.	Me duele la espalda.	h.	Tome estas pastillas.

10-26 El presente de subjuntivo I. Fill in the blanks with the appropriate forms of the subjunctive, when necessary.

Me gusta mucho ir al gimnasio los sábados. Espero que mis amigos (1. poder) ____________________ ir conmigo esta semana. Deseo que nosotras (2. pasar) ____________________ por lo menos un par de horas allí y que (3. hacer) ____________________ varios tipos de ejercicio. Mi amiga Laura quiere (4. practicar) ____________________ un poco de básquetbol y Sandra y Carmen piensan (5. hacer) ____________________ ejercicios aeróbicos. Ellas me piden que (6. buscar) ____________________ información sobre un programa de ejercicios y que (7. preguntar) ____________________ si es posible tomar clases. Espero que nosotras (8. sentirnos) ____________________ mejor después de un poco de ejercicio y que (9. regresar) ____________________ todas las semanas.

Nombre: ________________________________ Fecha: ____________________

10-27 Los mandatos. Fill in the blanks with the **nosotros** command forms of the verbs in parentheses.

1. Este paciente está muy mal. (Operar) ______________________ al paciente hoy.
2. Fumar no es bueno para la salud. (Dejar) ______________________ de fumar.
3. Hay que ir al medico, por lo menos, una vez al año.
   (Hacer) ______________________ una cita.
4. Hay que controlar el nivel de estrés. (Descansar) ______________________ un poco más.

10-28 El presente de subjuntivo II. Fill in the blanks with the subjunctive forms of the verbs in parentheses, when necessary.

Lamento que Roberto (1. estar) __________________ enfermo. Le recomiendo que (2. guardar) __________________ cama durante dos días y que (3. tomar) __________________ el jarabe que le recetó el médico. Es importante que (4. seguir) __________________ las instrucciones del médico. Yo también voy a (5. hacer) __________________ una cita con el médico para un examen físico. Espero que Roberto (6. mejorarse) __________________ pronto y que (7. poder) __________________ volver a la universidad.

Nombre: ________________________________ Fecha: __________________

LECCIÓN 11 ¿Para qué profesión te preparas?

PRIMERA PARTE

¡Así es la vida!

11-1 Los trabajadores. Reread **¡Así es la vida!** on page 333 of your textbook and complete the following statements with the missing information. Write out all numbers.

1. Margarita Alfonsín Frondizi es ____________________. Trabaja en el ________________________________, en la Calle Torrego, número ______________________________________. Su número de teléfono es el ____.

2. Rafael Betancourt Rosas es ________________. Su oficina está en el ______________________________________, en Montevideo, _______________.

3. Ramón Gutiérrez Sergil es ________________. La calle donde se encuentra su oficina se llama ____________________________. Trabaja en __________________, ________________________.

4. La Dra. Julia R. Mercado es ____________________________. Su dirección es ____________________________________, Barcelona, __________________. Su número de teléfono es el ____ y el de su fax es el ______________________________________.

5. La Dra. Mercedes Fernández de Robles es __________________. Su oficina está en el ____________________________________, en el ____________________________________, México.

¡Así lo decimos!

11-2 Las profesiones. Complete each of the following statements with the name of the profession that it describes.

1. La ____________________ nos va a diseñar una casa nueva.
2. Vamos a llamar al ____________________ para arreglar la ducha.
3. ¡Hay que apagar el incendio! Llamemos a los ____________________.
4. Tenemos que buscar un ____________________ para diseñar el puente *(bridge)* nuevo.
5. Sufro de depresión. Voy a hacer una cita con la ____________________.
6. Tengo dolor de muelas. Voy a ver al ____________________ mañana.

11-3 Palabras relacionadas. Match the new vocabulary words with words you have learned in previous lessons.

1.	____ el/la dentista	a.	la cuenta
2.	____ el/la contador/a	b.	la receta
3.	___ el/la cocinero/a	c.	las lenguas
4.	___ el/la empresario/a	d.	la administración de empresas
5.	___ el/la analista de sistemas	e.	la pasta de dientes
6.	___ el/la intérprete	f.	la computadora

11-4 ¿Qué profesión me recomiendas? Based on their interests and aptitudes, which profession would you recommend for each of the following people?

1. A Ana le gustan mucho los animales.
   Ella puede ser ______________________________.
2. A Juan le gusta trabajar con las manos. Hace cosas de madera.
   Puede ser ______________________________.
3. A Enrique le gusta cortar y arreglar el pelo. También le gusta conversar con la gente. Puede ser ______________________________.
4. A Paula le encanta preparar platos diferentes. Ella cocina muy bien.
   Puede ser ______________________________.

5. A Teresa le fascinan los números.
   Puede ser ______________________________.
6. A Mauricio le gusta escribir cartas. Escribe muy rápidamente a máquina.
   Puede ser ______________________________.
7. A Luisa le gusta trabajar con las manos. Le fascinan los coches.
   Puede ser ______________________________.
8. A Pancho le interesa lo que pasa en el mundo. Él escribe muy bien.
   Puede ser ______________________________.

11-5 Los clasificados. Read the VideoMúsica want ad and complete the following statements in Spanish.

VIDEOMÚSICA
Solicita
VENDEDORES (AS)
Requisitos:
- Bachiller
- Buena presencia
- Mayor de 18 años
- Buenas recomendaciones interpersonales
- Deseos de trabajar en el área de ventas (tiendas de Sonido y Videos)
- Disponibilidad para trabajar durante el horario de tienda (10:00 a.m. a 8:00 p.m. de Lunes a Sábado)

CAJEROS (AS)
Requisitos:
- Bachiller
- Mayor de 18 años
- Disponibilidad inmediata tiempo completo

Ofrecemos:
- Atractivos beneficios económicos
- Excelente ambiente de trabajo
- Oportunidad de Desarrollo Profesional

Interesados favor de presentarse con los siguientes documentos: 1 Fotografía de frente reciente, Fotocopia de la cédula de identidad, Constancia de trabajos anteriores y dos referencias personales por escrito, a la siguiente dirección: Centro Mar y Sol, Piso 42, Oficina 378, Bahía Blanca, Argentina.

1. VideoMúsica solicita ______________ y ______________.
2. Los vendedores tienen que tener por lo menos ______________
   y estar libres para trabajar ______________________.
3. Los cajeros van a trabajar a ______________________.
4. VideoMúsica ofrece oportunidades para ______________________.
5. Los interesados tienen que llevar dos ______________________.

¡Así lo hacemos! Estructuras

1. The subjunctive to express doubt, uncertainty, or denial

11-6 Unas opiniones negativas. Complete the following statements of opinion with the present subjunctive forms of the verbs in parentheses.

1. No creo que el plomero (ser) ______________________ muy bueno.
2. No estoy seguro de que ese mecánico (reparar) ______________________bien los carros.
3. Niego que el gerente (ir) ______________________ a preparar el horario de trabajo.
4. Yo no creo que él (conseguir) ______________________ esa meta.
5. Dudo que ustedes (tener) ______________________ ese sueldo.
6. No pienso que la directora (saber) ______________________ mucho.
7. Niego que los viajantes (vender) ______________________ ese producto.
8. No estoy seguro de que Chucho y Chela (trabajar) ______________________ en esa compañía.
9. No creo que Ramiro (pensar) ______________________trabajar allí.

11-7 Tu opinión. A coworker makes many unfounded statements. Set him straight each time he does this by using a verb or expression from the list below and by making any necessary changes.

MODELO: Nosotros siempre nos dormimos en el trabajo.
No es cierto que nosotros nos durmamos en el trabajo.

dudar   negar   no creer   no es cierto   no estar seguro/a de

1. A él le cae bien ese viajante.

   ____.

2. Un gerente siempre dice la verdad.

   ____.

3. Nosotros nos ponemos a jugar en el trabajo.

____.

4. Hay mucho desempleo en el Canadá.

____.

5. Las vendedoras siempre trabajan a comisión.

____

6. Pedro Manuel es el mejor empleado de nuestra compañía.

____.

7. Esa intérprete sabe español.

____.

8. Todos nosotros siempre leemos el horario de trabajo.

____.

9. Los psicólogos ayudan a sus pacientes.

____.

10. Ese arquitecto diseña carros.

____.

11-8 Preguntas personales. Answer the following questions in Spanish, in complete sentences.

1. ¿Crees que hay mucho desempleo en el Canadá

____

____

2. ¿Crees que es importante ser bilingüe para conseguir un puesto? Explica.

____

____

3. ¿Es cierto que una persona siempre debe de tener una meta? ¿Por qué sí o por qué no?

____

____

4. ¿Crees que ser ingeniero es muy difícil? Explica.

____

____

5. ¿Crees que los abogados siempre dicen la verdad? Da tu opinión.

____

____

6. ¿Crees que es necesario saber de informática para conseguir un buen empleo hoy? ¿Por qué sí o por qué no?

____

____

2. The subjunctive with impersonal expressions

11-9 ¡A completar! Complete the following sentences with the present **subjunctive**, the present **indicative**, or the **infinitive** of the verbs in parentheses.

1. Es cierto que nuestra compañía (tener) ____________________ muchas metas.
2. Es dudoso que los puestos de esa compañía (ser) ____________________ mejores que los nuestros.
3. Es urgente que los bomberos (apagar) ____________________ el fuego en ese almacén.
4. Es extraño que allí no (haber) ____________________ buenos carpinteros.
5. Es obvio que un arquitecto (diseñar) ____________________ edificios.
6. Es importante que la supervisora siempre (estar) ____________________ temprano en el trabajo.
7. Es mejor que el gerente me (subir) ____________________ el sueldo.
8. No es preciso que la cartera (venir) ____________________ temprano hoy.
9. Es difícil (hacer) ____________________ dos trabajos diariamente.
10. Es una lástima que tu hermana y tú no (conseguir) ____________________ ese puesto.
11. Es fácil (trabajar) ____________________ a comisión.

12. Es bueno que los empleados (conocer) ____________________ a los supervisores.
13. En una compañía internacional es indispensable (saber) ____________________ dos idiomas.
14. Es posible que nos (dar) ____________________ un buen sueldo.
15. Es malo que los empleados (conversar) ____________________ mucho en el trabajo.
16. Es necesario (llegar) ____________________ a tiempo al trabajo.
17. Es cierto que yo (reparar) ____________________ computadoras.
18. Es increíble que ese vendedor no (vender) ____________________ más.
19. Es imposible que los peluqueros (sacar) ____________________ muelas.
20. No es dudoso que ellas (estudiar) ____________________ para ser psicólogas.

11-10 La despedida de Miguel. The company is about to fire Miguel. Describe what happens by completing the conversation between two of his coworkers with the present subjunctive or indicative forms of the verbs in parentheses.

Ricardo: ¿Oíste lo que le (1. pasar)________________________ a Miguel Rojas?

José: No, ¿qué es lo que le (2. ocurrir)________________________ ?

Ricardo: Es seguro que el gerente no lo (3. querer)________________________ más.

José: Bueno, pero es verdad que Miguel (4. ser)________________________ muy perezoso y muy arrogante.

Ricardo: Es increíble que tú (5. decir)________________________ eso de Miguel.

José: ¡Cómo es posible que tú (6. ser)________________________ tan tonto!

Ricardo: Mira, es mejor que nosotros (7. llamar)________________________ a la supervisora.

José: Sí, pero es probable que ella no nos (8. escuchar) ________________________ .

Ricardo: Entonces, es indispensable que tú (9. hablar)________________________ con el gerente. Tú lo (10. conocer)________________________ a él y (11. ser)________________________ su amigo.

José: Sí, pero es posible que él (12. estar)________________________ de vacaciones.

Ricardo:	Es evidente que tú (13. ser)______________________ un mal amigo y que no (14. querer)______________________ ayudar a Miguel.
José:	Es una lástima que tú (15. hablar)______________________ tan mal de mí.
Ricardo:	Mira, es mejor que tú no (16. decir)______________________ esas cosas.
José:	Bueno, es obvio que tú y yo (17. tener)______________________ muchas diferencias. ¡Hasta luego!

11-11 Entrevista. You are the president of an international corporation and are being interviewed by a group of students. Answer their questions in Spanish, in complete sentences.

1. ¿Qué es importante para conseguir un buen puesto?

   ____.

2. ¿Qué es indispensable en su compañía?

   ____.

3. ¿Qué es necesario para ser un buen gerente?

   ____.

4. ¿Qué es evidente en un buen empleado?

   ____.

5. ¿Es cierto que las personas bilingües están mejor preparadas?

   ____.

Nombre: ________________________________ Fecha: ________________

SEGUNDA PARTE

¡Así es la vida!

11-12 En busca de empleo. Reread the letter and interview on page 343 of your textbook and complete the following statements with the missing information.

1. Isabel Urquiza Duarte es ______________________________.

2. Ella lee los avisos clasificados porque______________________________
____.

3. Isabel se especializa en ______________________________.

4. Ella se considera______________________________.

5. Con su carta de presentación, ella incluye______________________________.

6. El Sr. Posada es______________________________.

7. Isabel quiere trabajar para esta empresa porque ______________________________
____.

8. Isabel le pregunta al señor Posada ______________________________.

9. Isabel consigue el puesto por que tiene ______________________________
y____.

¡Así lo decimos!

11-13 La carta de presentación. Complete the letter below with words and expressions from the following list.

calificaciones	capaz	currículum vitae
Estimada	honrado	la saluda atentamente
experiencia práctica	referencia	solicitud de empleo
recomendación	vacante	

(1)______________________ señora:

Le escribo esta carta para presentarme y para solicitar la (2)______________________

de contador que se anunció en *El Mundo*. Yo tengo mucha (3)______________________

y mis (4)______________________ son numerosas, como usted puede ver en el

(5)______________________ que adjunto. He incluido tres cartas de

(6)______________________ y la (7)______________________ que me envió su

secretaria. También incluyo el nombre de mi supervisor que sirve de

(8)______________________. Espero tener la oportunidad de entrevistarme con usted.

Soy muy (9)______________________ y (10)______________________.

Esperando su respuesta a la presente, (11)______________________________,

Rodrigo Rodríguez

11-14 ¿Qué haces? Describe what you do in the following situations in Spanish, in complete sentences.

MODELO: Tu jefe no te da el aumento de sueldo que has pedido.
Busco otro puesto.

1. Tienes una entrevista muy importante.

   ____.

2. Recibes una mala evaluación de tu supervisor.

   ____.

3. Tu jefe no te quiere ascender.

   ____.

4. Tu mejor amiga recibió el puesto que tú querías.

____.

5. Recibiste una bonificación anual muy grande.

____.

6. Tu jefa despide a tu mejor amigo.

____.

7. No recibiste el aumento que esperabas.

____.

8. La empresa te va a enviar a un país hispano.

____.

¡Así lo hacemos! Estructuras

3. The past participle and the present perfect indicative

11-15 Hay muchas cosas que hacer. Describe what the following people have already done today. Use the subjects given and the present perfect form of the indicated verbs.

MODELO: Francisco / despedir / a los empleados
Francisco ha despedido a los empleados.

1. nosotros / establecer / un plan de retiro

____.

2. la gerente / firmar / el contrato

____.

3. yo / escribir / una carta de recomendación

____.

4. Felipe / comprar / un seguro de vida

____.

5. mis amigos / ir / al despacho

____.

6. yo / ver / al aspirante

____.

7. tú / cubrir / la vacante

____.

8. nosotros / volver / de la agencia de empleos

____.

11-16 ¿Lo has hecho? Reply affirmatively to the questions below, using object pronouns when necessary to avoid repetition.

MODELO: ¿Has ido al despacho?
Sí, he ido al despacho.

1. ¿Has firmado la carta?

____.

2. ¿Han recibido el aumento nuestros empleados?

____.

3. ¿Ha rellenado usted la solicitud de empleo?

____.

4. ¿Has contratado al aspirante?

____.

5. ¿Han dejado ustedes de trabajar?

____.

11-17 ¡Ya está! Complete the statements with the past participles of the verbs in parentheses, making any changes that are necessary for agreement.

1. Mi seguro médico está (cubrir) ____________________.
2. Los nuevos empleados están (contratar) ____________________.
3. La agencia de empleo está (abrir) ____________________.
4. Las evaluaciones están (escribir) ____________________.
5. El formulario y la carta de recomendación ya están (preparar)

____________________.

6. El presupuesto está (hacer) ______________________.
7. El problema con los empleados está (resolver) ______________________.
8. Los avisos clasificados ya están (poner) ______________________.
9. El aspirante no sabe nada, está (perder) ______________________.
10. La jefa está muy (ocupar) ______________________.

11-18 En la empresa. Your boss is telling you that the following things need to be done. Respond as in the model.

MODELO: Tiene que enviarle la solicitud de empleo al aspirante.
Se la he enviado. Ya está enviada.

1. Tiene que darle la recomendación al Sr. Gómez.

   ____.

2. Tiene que escribirle el contrato al cliente.

   ____.

3. Tiene que rellenarme el formulario.

   ____.

4. Tiene que revisarle el expediente al aspirante.

   ____.

5. Tiene que cambiarles las evaluaciones a ellas.

   ____.

4. The present perfect subjunctive

11-19 Mi amiga Olga. Your friend Olga is quite trusting while you tend to have your doubts about people. Respond to Olga's suppositions using the present perfect subjunctive and the cues provided.

MODELO: Es seguro de que Marcos ha leído los avisos clasificados.
Dudo que _____*Marcos haya leído los avisos clasificados.*_______

1. Creo que el gerente ha hecho las evaluaciones hoy.
   No estoy seguro de que ________________________.
2. Creo que el jefe ha estado en la oficina hoy.
   No es cierto que ________________________.
3. Me imagino que el jefe ya ha revisado los expedientes.
   Niego que ________________________.
4. ¡Por fin él ha conseguido trabajo!
   No es verdad que ________________________.
5. ¿Es verdad que los otros empleados han preparado el formulario?
   Dudo que ________________________.
6. ¡Qué bien que ellos le han escrito la carta a la supervisora!
   Es dudoso que ________________________.
7. Es cierto que ellos han enviado la solicitud de empleo.
   No creo que ________________________.
8. ¡Menos mal que (*Thank goodness*) Sandra ha rellenado el formulario!
   No es cierto que________________________.

Nombre: ______________________________ Fecha: ____________________

11-20 En la compañía. Form complete sentences using the present perfect subjunctive and the cues provided to describe how things are going in the company. Make all necessary changes and follow the model.

MODELO: Yo / dudar / el coordinador / buscar / empleados
Yo dudo que el coordinador haya buscado empleados.

1. tú / esperar / empleado / hacer / bien las cuentas

____.

2. nosotros / dudar / la aspirante / tomar / examen

____.

3. la directora / esperar / nosotros / traer / formularios

____.

4. los gerentes / no creer / yo / decir / esas cosas

____.

5. la supervisora / no creer / tú / poner / mensaje / en el despacho

____.

6. ustedes / temer / gerente / oír / sus comentarios

____.

7. ellos / esperar / la jefa / darles / un / aumento

____.

8. nosotros / no estar seguro / usted / tener / seguro médico

____.

9. el jefe / alegrarse de / nosotros / limpiar / despacho

____.

10. yo / esperar / tú y tu hermano / conseguir / más clientes

____.

11-21 ¡A completar! Complete the following sentences with the present perfect subjunctive or the indicative, as needed.

1. Creo que los formularios (ser) ____________________ necesarios.

2. No es seguro que la coordinadora nos (ayudar) ____________________.

3. Dudo que las compañías (cambiar) ____________________ mucho.

4. Es verdad que los viajantes (vender) ____________________ mucho nuestros productos.

5. Es cierto que muchos empleados (recibir) ____________________ aumentos de sueldo este año.

6. Espero que ellos (buscar) ____________________ la información en los avisos clasificados.

7. Creo que las evaluaciones (ser) ____________________ una necesidad.

8. Creo que las ventas (bajar) ____________________.

9. Es obvio que la jefa (resolver) ____________________ muchos problemas.

10. Temo que la compañía no (tener) ____________________ muchos empleados.

Nombre: ______________________________ Fecha: ____________________

NUESTRO MUNDO

11-22 El Virreinato del Río de la Plata. Based on the information from **Nuestro mundo** on pages 356-357 of your textbook, decide whether the following statements are **cierto (C)** or **falso (F)**.

C F 1. El tango es un baile popular de la Argentina.

C F 2. El tango se originó en el Uruguay.

C F 3. Punta del Este es famosa por sus playas.

C F 4. El béisbol es un deporte muy popular en la Argentina y el Uruguay.

C F 5. Montevideo era la capital del Virreinato del Río de la Plata.

C F 6. Buenos Aires es una ciudad muy cosmopolita.

C F 7. Eva Perón fue presidenta de la Argentina.

C F 8. Carlos Saura hizo un musical sobre la vida de Eva Perón.

C F 9. El Salto Iguazú es un río.

C F 10. Se puede hacer deportes acuáticos en el Parque Nacional Iguazú.

11-23 La investigación. Select and research one of the following topics related to Argentina or Uruguay. Use the Internet or library resources and prepare a brief presentation in Spanish to present to the class. The presentation can be visual (a poster with images and captions), a report, a summary, etc.

1. el turismo en Buenos Aires
2. la vida de Eva Perón
3. el futbolista Diego Maradona
4. las películas de Carlos Saura
5. las playas del Uruguay
6. El Parque Nacional Iguazú

11-24 El gaucho: un oficio temprano. The **gaucho** is an Argentinean tradition that has inspired many poets, artists, and historians. Read the following passage about the origin of the **gaucho**, and then answer the questions.

Los conquistadores españoles trajeron millares de animales domésticos al Nuevo Mundo. Hacia el año 1650, muchos de estos animales escaparon del control de las ciudades coloniales. Se escaparon al desierto, o sea el territorio salvaje, habitado por los grupos aborígenes prehispánicos.

Muchas personas urbanas tenían grandes intereses económicos en esas vacas y caballos del desierto, por el precio de su cuero (*hide*). Pero, ¿quién podía atraparlos y sacarles el cuero en medio del territorio aborigen?

De allí nació una tradición argentina - el gaucho. Los gauchos eran de origen diverso: criollos, portugueses, mestizos, negros. Salían al desierto en busca del cuero de las bestias en grupos de aproximadamente diez gauchos. Un buen flete (caballo), un recado (montura o *saddle*) y un avío (provisiones) le eran indispensables al gaucho para sobrevivir en las Pampas.

Estas expediciones se llamaban vaquerías. En el siglo XVII se convirtieron en un sólido ingreso económico para las colonias, cuando los cueros se empezaron a exportar a Europa. El negocio de la exportación de cueros creció de una manera asombrosa: en 1605 se exportaron 50 cueros, en 1625, 27.000 y en 1670, 380.000.

El primer eslabón de esta cadena comercial eran los gauchos. Los jinetes (*riders*) del desierto perseguían los animales dentro de las tierras de los aborígenes. Atrapaban los animales y rápido se bajaban de su flete para apoderarse del cuero, desechando el resto del animal.

El rasgo que los distinguía como grupo era su habilidad de jinetes y el cuidado y respeto que sentían por sus caballos. Estas destrezas y actitudes nacieron con las primeras vaquerías, pero aún podemos verlas en la actualidad.

1. ¿Qué situación dio paso a (*gave way to*) la profesión del gaucho?

   ____.

2. ¿Qué llevaba siempre el gaucho en sus expediciones?

   ____.

3. En tu opinión, ¿quién se beneficiaba más del trabajo del gaucho?

   ____.

4. ¿Qué aspectos del trabajo del gaucho serían muy criticados hoy en día?

____.

5. ¿Podemos comparar la tradición de los gauchos y las vaquerías con alguna tradición canadiense?

____.

TALLER

11-25 Las carreras.

Primera fase. Make a list, in Spanish, of the expectations you have about your career or profession. (The two columns on the right are for the **Tercera fase**.)

	YO	ESTUDIANTE ________	ESTUDIANTE ________
tipo de carrera que buscas			
tres (tipos) de compañías que te interesan			
una alternativa (por ej., el auto empleo)			
ambiente de trabajo que esperas (por ej., oficina grande)			
sueldo que quieres para empezar			
sueldo después de diez años			
beneficios que quieres			
elementos absolutamente necesarios			
elementos preferibles			
elementos no aceptables			
¿…?			

Segunda fase. Now imagine that you are working with an employment agency that will conduct interviews of university students to help build candidate profiles. Based on the categories in the **Primera fase,** write eight questions you might use in the interviews.

MODELO: *¿Para qué profesión te preparas?*

1. ______________________________
2. ______________________________
3. ______________________________
4. ______________________________
5. ______________________________
6. ______________________________
7. ______________________________
8. ______________________________

Tercera fase. Now interview two classmates, using the questions you wrote in the **Segunda fase**. Then, fill in the information about them in the chart from the **Primera fase**.

11-26 Acuerdos. The establishment of trade agreements such as NAFTA is changing the nature of international business. Several agreements have been established among the Spanish-speaking countries as well. Use the Internet or library resources to look up information on the following groups. Complete the following chart about the groups.

	MCCA	MERCOSUR	ALADI	Pacto Andino
Países en el acuerdo				
Fecha del acuerdo inicial				
Elementos básicos del acuerdo				
Ventajas				
Desventajas				
¿…?				

Nombre: ______________________________ Fecha: ____________________

¿CUÁNTO SABES TÚ?

11-27 El uso del subjuntivo. Complete the following statements with the appropriate indicative or the subjunctive forms of the verbs in parentheses.

1. Yo no (creer) ____________________ que tú (comenzar) ____________________ el nuevo proyecto mañana.
2. Ellos (negar) ____________________ que yo (conseguir) ____________________ el puesto.
3. Nosotros no (dudar) ____________________ que ellos (tener) ____________________ experiencia práctica.
4. Tú (dudar) ____________________ que nosotros (salir) ____________________ para la conferencia ahora.
5. Mario no (pensar) ____________________ que tú (llegar) ____________________ a tiempo para la entrevista.
6. Tú (creer) ____________________ quc la gerente generalmente (trabajar) ____________________ los fines de semana.

11-28 Las expresiones impersonales. You are the personnel director of a large firm and you are describing how you and your staff should conduct yourselves. Fill in the blanks with the correct forms of the verbs in parentheses.

1. No es malo (hablar) ____________________ con los supervisores.
2. Es necesario que tú (mirar) ____________________ el horario de trabajo.
3. Es indispensable que tú (conseguir) ____________________ clientes.
4. Es importante que ustedes (leer) ____________________ algo sobre la empresa.
5. Es mejor que todos nosotros (saber) ____________________ cuáles son nuestras responsabilidades.
6. Siempre es bueno que usted (conocer) ____________________ al gerente.
7. Es urgente que ustedes (ser) ____________________ siempre puntuales.
8. Es preciso que yo les (dar) ____________________ entrenamiento a todos los empleados.

9. Es bueno que ustedes siempre (decir) ______________________ la verdad.

10. Es importante que nosotros (trabajar) ______________________ bien.

11-29 El presente perfecto. Fill in the blanks with the present perfect forms of the verbs in parentheses.

1. Mariano ya (estudiar) ______________________ para el examen.
2. ¿(Ver) ______________________ tú la última película de Almodóvar?
3. Nosotros (terminar) ______________________ el trabajo.
4. ¿(Tomar) ______________________ usted alguna vez clases de informática?
5. Luciano y Mariano nunca (escribir) ______________________ a máquina; siempre lo (hacer) ______________________ todo con la computadora.

11-30 El presente perfecto de subjuntivo. Complete the following sentences with the present perfect subjunctive or indicative, as needed.

1. Creemos que el supervisor (conocer)______________________ nuestra compañía perfectamente.
2. ¡Espero que las directoras nos (dar)______________________ aumentos de sueldo!
3. No es verdad que todas las empleadas (llegar) ______________________ temprano hoy.
4. Es imposible que las aspirantes (estar)______________________ en el despacho.
5. El gerente espera que muchos empleados (volver)______________________ a sus puestos.
6. Estoy segura que los aspirantes (rellenar) ______________________ la solicitud de empleo.
7. Dudamos que Paco (contratar) ______________________ muchos empleados nuevos.

Nombre: ______________________________ Fecha: ________________

LECCIÓN 12 El futuro es tuyo

PRIMERA PARTE

¡Así es la vida!

12-1 El impacto de la tecnología. Reread the discussion on page 367 of your textbook and answer the following questions in Spanish, in complete sentences.

1. En el mundo moderno la gente depende mucho de

   ____.
2. Lorenzo Valdespino es ______________________________.
3. Él necesita la computadora para sus estudios y para

   ____.
4. Él usa una ______________________________________

   y una ____.
5. Para comunicarse con sus padres, usa ________________.
6. En la oficina de Hortensia, en vez de escribir ________________

   ____

   ahora usan ______________________________________

   y sacan copias en______________________________________.
7. Ellos pueden enviar cartas instantáneamente con ________________

   ____.
8. Adolfo Manotas Suárez es______________________________.
9. Él trabaja en______________________________________.
10. Un programa de computadora le permite ________________

    ____.
11. También puede ______________________________________.
12. Adolfo espera que la tecnología agrícola ________________

    ____.

¡Así lo decimos!

12-2 Palabras relacionadas. Match each of the following verbs with the most appropriate noun.

1.	_____ sembrar	a.	el contestador automático
2.	_____ sacar fotocopias	b.	la videograbadora
3.	_____ grabar	c.	la computadora
4.	_____ programar	d.	la pantalla
5.	_____ encender	e.	la impresora
6.	_____ calcular	f.	los cultivos
7.	_____ llamar	g.	la fotocopiadora
8.	_____ imprimir	h.	la hoja electrónica

12-3 ¡A completar! Complete the following statements with words or expressions from **¡Así lo decimos!**

1. El banco está cerrado; voy a usar el ______________________ para sacar dinero.
2. Hoy no es necesario esperar las llamadas telefónicas porque el ______________________ puede ______________________ todos los mensajes.
3. Yo acabo de comprar un ______________________ y me gusta mucho. Puedo hablar con mis amigos desde cualquier parte de la casa.
4. A mi esposo le gusta mucho la ______________________ , porque puede ver muchos partidos de fútbol que no se transmiten por los canales.
5. La ______________________ de manzanas será muy buena este año.
6. Para hacer correctamente sus cuentas, el agricultor tiene que usar una ______________________.
7. A mí me gusta mucho la ______________________ porque ahora ya no es necesario ir al cine para ver una película.
8. Mi amigo es agricultor. Trabaja en la ______________________ de su padre.
9. Antes compraba discos o cintas de mi música favorita. Hoy compro ______________________.
10. No lo pude ver en la ______________________ de mi computadora.

Nombre: ______________________________ Fecha: ____________________

12-4 La computadora y sus accesorios. Identify each numbered item in the illustration below. Then write sentences using the words.

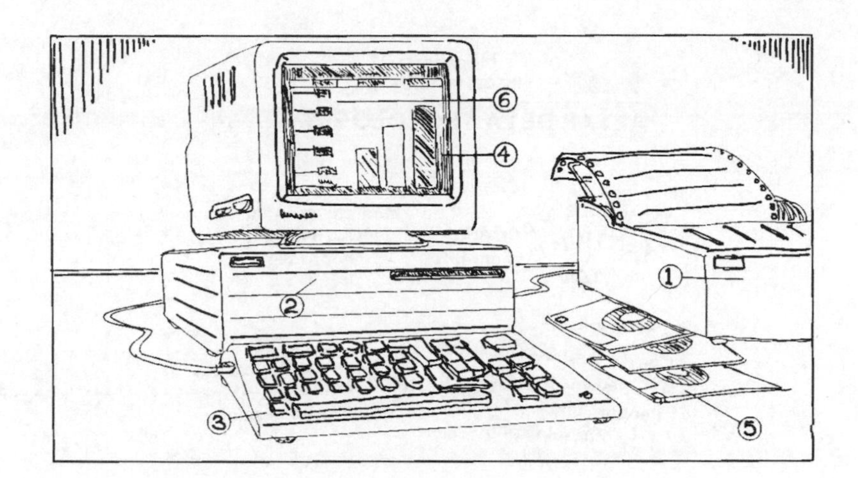

1. ____
____.

2. ____
____.

3. ____
____.

4. ____
____.

5. ____
____.

6. ____
____.

12-5 El altar de la tecnología. Read the advertisement and answer the following questions in Spanish, in complete sentences.

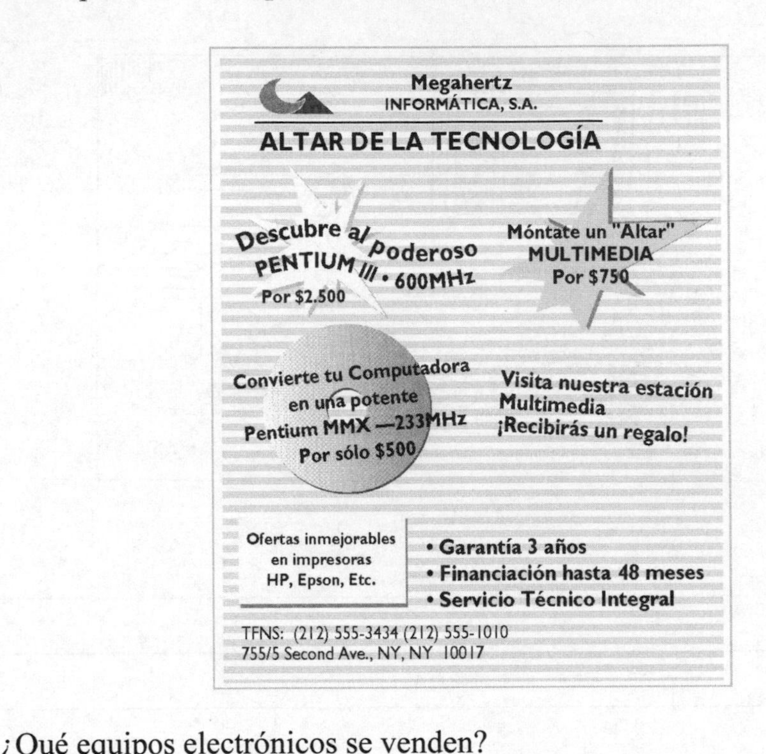

1. ¿Qué equipos electrónicos se venden?

 ____

 ____

2. ¿Qué se puede hacer por 500 dólares?

 ____

 ____

3. ¿Cómo se puede recibir un regalo?

 ____

 ____

4. Además de un regalo, ¿qué otras cosas ofrece la tienda?

 ____

 ____

5. ¿Cómo se llama la tienda y cuál es su número de teléfono?

 ____

 ____

Nombre: ___________________________________ Fecha: ___________________

¡Así lo hacemos! Estructuras

1. The future and future perfect tenses

12-6 En el centro de cómputo. Here is what everyone is going to do at the computer centre at your institution. Rewrite the following sentences using the future tense. Follow the model.

MODELO: Gregorio va a usar el escáner.
Gregorio usará el escáner.

1. Rosalía va a hacer los diseños en la computadora.
   Rosalía ___________________ los diseños en la computadora.
2. Manuel Antonio va a imprimir las cartas.
   Manuel Antonio ___________________ las cartas.
3. José y Alejandro van a instalar el disco duro.
   José y Alejandro ___________________ el disco duro.
4. Tú vas a poner la información en la hoja electrónica.
   Tú ___________________ la información en la hoja electrónica.
5. Luisa y yo vamos a mirar la pantalla.
   Luisa y yo ___________________ la pantalla.
6. Todos nosotros vamos a leer los mensajes en el correo electrónico.
   Todos nosotros ___________________ los mensajes en el correo electrónico.
7. Francisco y Emilio van a venir a ver el procesador de textos.
   Francisco y Emilio ___________________ a ver el procesador de textos.
8. Nuestros asistentes les van a dar las instrucciones.
   Nuestros asistentes les ___________________ las instrucciones.
9. Carmen y su hermana van a archivar todo.
   Carmen y su hermana ___________________ todo.

12-7 En la oficina. Describe the work each person is going to do at the office, using the future forms of the verbs in parentheses.

1. Joaquín (escribir) ____________________ cartas en el procesador de textos.
2. Ramiro y Conrado (poner) ____________________ las cuentas en la hoja electrónica.
3. Ella le (decir) ____________________ a la supervisora si hay mensajes por correo electrónico.
4. María Amalia (leer) ____________________ un fax.
5. Juan y tú (sacar) ____________________ copias en la fotocopiadora.
6. Yo (usar) ____________________ el escáner.
7. Ustedes (buscar) ____________________ la información en la Red Informática.
8. La directora (comunicarse) ____________________ con los clientes por teléfono celular.
9. Enrique y yo (ver) ____________________ los diseños en la pantalla.
10. Todos nosotros (preparar) ____________________ los trabajos en la computadora.

12-8 Conjeturas. You are going to have a new boss at the office and are wondering what she or he will be like. Answer the following questions using the future of probability. Be as creative as possible.

1. ¿Quién será el nuevo jefe?

   ____

2. ¿Cómo será él/ella?

   ____

3. ¿De dónde vendrá?

   ____

4. ¿Qué planes tendrá?

   ____

5. ¿Qué hará con los empleados?

   ____

Nombre: ______________________________ Fecha: ____________________

12-9 La nueva jefa. The new boss is a very demanding person. Here is what she expects everyone to have done by a certain time. Use the future perfect form of the verb in parentheses.

1. Todos nosotros (llegar) ______________________ al trabajo a las ocho de la mañana.
2. La programadora (hacer) ______________________ los diseños a las nueve.
3. Tú (traer) ______________________ las hojas electrónicas a las diez.
4. Ella (llamar) ______________________ a los clientes antes de las diez y media.
5. Ustedes (poner) ______________________ el informe sobre el escritorio a las once.
6. La secretaria (escribir) ______________________ las cartas a las doce.
7. Los supervisores (recibir) ______________________ la información a las doce y media.
8. Todos los empleados (almorzar) ______________________ antes de la una.
9. Tú (copiar) ______________________ la lista de clientes a las tres.
10. Todos los empleados (salir) ______________________ del trabajo antes de las cinco.

12-10 ¡A completar! Complete the following exchanges with the future perfect forms of the verbs in parentheses.

1. — ¿(Aprender) ______________________ ustedes a enviar un fax antes de las once de la mañana?

   — Por supuesto, nosotros (enviar) ______________________ un fax antes de esa hora.
2. — ¿(Archivar) ______________________ tú la información antes del martes?

   — Sí, (tener) ______________________ tiempo para hacerlo todo antes del martes.
3. — ¿(Escribir) ______________________ usted la carta por correo electrónico en una hora?

   — ¡Cómo no! La (hacer) ______________________ en media hora.

4. — ¿(Instalar) ________________________ ellos el contestador automático antes del almuerzo?

— No sé si ellos (terminar) ________________________ de instalar el contestador automático antes del almuerzo.

5. — ¿(Poder) ________________________ recoger Pedro y su hermana el disquete hoy?

— Seguro, ellos (recoger) ________________________ el disquete esta mañana.

2. The subjunctive with *ojalá, tal vez,* and *quizás*

12-11 La situación en la empresa. Use the words below in the order given to make statements about the situation in your company. Be sure to make any necessary changes and add any needed words.

MODELO: ojalá / gerente / comprar / más microcomputadoras
Ojalá que el gerente compre más microcomputadoras.

1. tal vez / fotocopiadora / funcionar bien

____

2. ojalá / programas / estar / buenas condiciones

____

3. quizás / impresora / ser / excelente

____

4. ojalá / fax / llegar / temprano

____

5. quizás / computadora / no borrar / información

____

6. tal vez / hojas electrónicas / tener / todas las cuentas

____

7. ojalá / todos / empleados / ver / programa

____

8. tal vez / videograbadora y discos compactos / llegar / hoy

____

9. quizás / la empleada / recoger / fax

____

10. ojalá / todos / tener / una / calculadora

____

12-12 ¿Qué esperas? Write six things that you hope will happen this year. Begin your sentences with **ojalá**.

MODELO: *¡Ojalá que tengamos más vacaciones!*

1. ____
____

2. ____
____

3. ____
____

4. ____
____

5. ____
____

6. ____
____

SEGUNDA PARTE

¡Así es la vida!

12-13 Hablan los jóvenes. Reread the opinions of the people on page 378 of your textbook and indicate whether the following sentences are **cierto (C)** or **falso (F)**. If a statement is false, write the correction in the space provided.

C F 1. A los jóvenes de Hispanoamérica no les importa el medio ambiente.

____

C F 2. No hay mucha industria en estos países.

____

C F 3. Los gobiernos de estos países se han preocupado mucho por proteger los recursos naturales.

____

Liliana Haya Sandoval

C F 4. La contaminación del aire no es un problema en la Ciudad de México.

____

C F 5. Los carros y los camiones producen mucha contaminación.

____

C F 6. Respirar el aire de la Ciudad de México no causa problemas.

____

C F 7. El gobierno no toma las medidas necesarias para resolver el problema de la contaminación.

____

María Isabel Cifuentes Betancourt

C F 8. El problema de las enfermedades epidémicas no existe en América del Sur.

____

C F 9. La contaminación del agua causa el cólera.

____

C F 10. Es necesario mejorar las medidas de higiene para eliminar el cólera.

____

Fernando Sánchez Bustamante

C F 11. Un problema importante en Costa Rica es la pérdida de los árboles.

____

C F 12. Hoy el 50% del país está cubierto de bosques tropicales.

____

C F 13. La producción de oxígeno depende de la región tropical.

____

C F 14. El gobierno costarricense controla estrictamente el desarrollo industrial.

____

¡Así lo decimos!

12-14 Palabras relacionadas. Match each of the following verbs with the most appropriate noun.

1.	_____ empeorar	a.	los envases
2.	_____ arrojar	b.	los recursos naturales
3.	_____ reciclar	c.	la deforestación
4.	_____ emprender	d.	las fábricas
5.	_____ contaminar	e.	los desechos
6.	_____ multar	f.	la energía
7.	_____ conservar	g.	medidas de protección
8.	_____ consumir	h.	el aire

12-15 ¡A completar! Complete each statement below with a word or expression from **¡Así lo decimos!**

1. En vez de arrojar todos los desechos, hay que organizar un programa de ____________________.
2. Si una fábrica no obedece bien las leyes contra la contaminación, hay que ponerle una ____________________.
3. El agua, el aire y las selvas forman parte de la ____________________.
4. Si hay muy poco de alguna cosa, se dice que hay ____________________ de esa cosa.
5. Según muchos, la gente del Canadá tiene que aprender a ____________________ menos y a ____________________ más.
6. Si la deforestación es un problema, hay que empezar un programa de ____________________.
7. Si se escapa ____________________ de una planta nuclear, puede contaminar el aire.
8. Para conservar más, la ciudad de Halifax decidió ____________________ un enorme programa de reciclaje.
9. Los miembros del comité están ____________________ a escuchar nuevas soluciones.
10. La ____________________ para controlar la deforestación es multar a las organizaciones que destruyan los bosques.

12-16 Cuestionario. What are your thoughts about the environment and how to improve it? Answer the questions below in Spanish, in complete sentences.

1. ¿Cuál es el problema más serio que afecta al medio ambiente?

   ____.

2. ¿Qué soluciones puedes ofrecer?

   ____.

3. ¿Cómo se pueden proteger los bosques y las selvas tropicales?

   ____.

4. ¿Qué prefieres, desarrollar la energía solar o continuar con las plantas nucleares? ¿Por qué?

    ____.

5. ¿En qué circunstancias se debe poner una multa a una industria?

    ____.

¡Así lo hacemos! Estructuras

3. The subjunctive and the indicative with adverbial constructions

12-17 Una jefa exigente. Complete what the supervisor of the computing firm you work for says, with the correct forms of the verbs in parentheses.

1. Guillermo, encienda la computadora antes de que nosotros (empezar) ____________________ a trabajar.
2. Pedro Arturo, ponga los datos en la hoja electrónica a fin de que la compañía (tener) ____________________ la información.
3. Amalia y Zenaida, calculen las cuentas a menos de que el gerente les (decir) ____________________ que no.
4. Martín y Catalina, impriman bien los números en caso que ustedes los (necesitar) ____________________.
5. Ramón y tú lean bien las instrucciones para que no (haber) ____________________ errores.
6. No hagan nada sin que yo lo (saber) ____________________.
7. No comiencen el trabajo a menos que yo (buscar) ____________________ la información.
8. Yo los voy a ayudar con tal que todos ustedes (querer) ____________________ aprender.

12-18 Un problema con la tecnología. Using the conjunctions in parentheses, combine each pair of statements to discover what problems Ramón encounters with technology. Use the present indicative or present subjunctive and follow the model.

MODELO: Ramón irá al banco. Sale del trabajo. (después de)
Ramón irá al banco después de que salga del trabajo.

1. Normalmente, él entra en el banco. Recibe su cheque. (cuando)

____

2. Él va a usar el cajero automático. Llega al banco. (tan pronto como)

____

3. Él firmará su tarjeta. Deposita el cheque. (antes de)

____

4. Él saca una calculadora. Su esposa sabe cuanto dinero tienen en el banco. (para que)

____

5. El cajero automático hace mucho ruido. Pone su tarjeta. (en cuanto)

____

6. Ramón necesita entrar al banco. El cajero sabe que no funciona el cajero automático. (a fin de que)

____

7. Él no se quiere ir del banco. Alguien le devuelve su tarjeta. (sin que)

____

8. Él tiene que esperar un rato. El técnico repara la máquina. (hasta que)

____

9. Otro empleado le dice que no es necesario esperar. Él quiere llevarse la tarjeta ahora mismo. (a menos que)

____

10. Ramón decide salir. El banco le envía la tarjeta a su casa. (con tal que)

____

Nombre: ________________________________ Fecha: ____________________

12-19 En la oficina. Who does what in the office? Rewrite each statement by changing the first verb to the future and making any other necessary changes.

MODELO: Hablé con él cuando pude.
Hablaré con él cuando pueda.

1. Yo transmití la información en cuanto ella calculó el precio.

   ____

2. Sacamos fotocopias hasta que el jefe llegó.

   ____

3. Ana fotocopió la información cuando tuvo tiempo.

   ____

4. Imprimieron el folleto aunque ella lo diseñó.

   ____

5. Encendió la computadora luego que entró.

   ____

6. El técnico instaló la fotocopiadora, tan pronto como recibió el dinero.

   ____

12-20 ¡A completar! Complete each statement below with the subjunctive, indicative (present or preterit), or infinitive form of the verb in parentheses.

1. Usarán energía solar para (conservar) ____________________ petróleo.
2. La deforestación continuará a menos que nosotros (hacer) ____________________ algo.
3. Expliquen bien las causas del cólera para que ellos (practicar) ____________________ mejores medidas.
4. El gobierno multó a la compañía después de que ésta (contaminar) ____________________ el aire.
5. Aunque el reciclaje (costar) ____________________ mucho, valdrá la pena.
6. Diseñaremos nuevos envases de aluminio tan pronto como (recibir) ____________________ el dinero.

7. No habrá aire puro hasta que nosotros no (proteger) ____________________ los bosques tropicales.

8. La lluvia ácida terminó en cuanto el gobierno (tomar) ____________________ las medidas necesarias.

9. No podemos nadar en el mar mientras que las personas (arrojar) ____________________ basura.

10. No vaya a ese país en caso que (haber) ____________________ cólera.

11. Los agricultores usan pesticidas sin que el gobierno lo (saber) ____________________.

12. Emprenderemos un programa de reciclaje, luego que (tener) ____________________ los recursos económicos.

NUESTRO MUNDO

12-21 Los hispanos en el Canadá. Based on the information from **Nuestro mundo** on pages 388-389 of your textbook, decide whether the following statements are **cierto (C)** or **falso (F)**.

C F 1. Se puede ver bailarines de flamenco en los festivales multiculturales.

C F 2. El flamenco es parte de la tradición artística chilena.

C F 3. Óscar López toca guitarra clásica.

C F 4. Obreros agrícolas vienen de México para trabajar en Québec.

C F 5. Los obreros que vienen a trabajar en el Canadá no tienen que pagar los gastos de sus viajes.

C F 6. Elvira Sánchez de Malicki produce un programa en español.

C F 7. El Congreso Hispano Canadiense ayuda a los hispanos a encontrar trabajo.

C F 8. La cocina hispana es muy variada.

C F 9. Las tapas se comen en porciones pequeñas.

C F 10. La mayoría de los inmigrantes hispanos viven en Ontario.

12-22 La investigación. Select and research one of the following topics related to Canada. Use the Internet or library resources and prepare a brief presentation in Spanish to present to the class. The presentation can be visual (a poster with images and captions), a report, a summary, etc.

1. la presencia hispana en la región donde tú vives
2. los orígenes del flamenco
3. un festival multicultural en tu ciudad
4. una figura hispano-canadiense
5. la cocina de un país hispanohablante
6. la música de Óscar López

TALLER

12-23 Mis acciones.

Primera fase. You may not feel like an activist for the environment, but even the most "ordinary" citizen does more out of habit to protect the environment than the average citizen twenty-five to thirty years ago. Make a list in Spanish of the environmentally friendly things that you do now. (The check boxes are for the **Segunda fase**.)

	SÍ	NO
______________________________	____	____
______________________________	____	____
______________________________	____	____
______________________________	____	____
______________________________	____	____
______________________________	____	____
______________________________	____	____
______________________________	____	____
______________________________	____	____
______________________________	____	____

Segunda fase. Now, review each activity from the **Primera fase** and mark whether or not someone your age would probably do those things twenty-five to thirty years ago. If possible, interview someone who could tell you.

12-24 Centros de reciclaje. Environmentally friendly movements are catching on in many different parts of the world. Use your Internet search engine to look up **reciclaje**. Make a list of at least four different programs you find in Spanish in Spanish-speaking countries. Include information in Spanish on what the program does or is for.

Programa: ________________________ **País / Ciudad:** ________________________

Productos / Servicios: ____

____

____

____

Programa: ________________________ **País / Ciudad:** ________________________

Productos / Servicios: ____

____

____

____

Programa: ________________________ **País / Ciudad:** ________________________

Productos / Servicios: ____

____

____

____

Programa: ________________________ **País / Ciudad:** ________________________

Productos / Servicios: ____

____

____

____

Nombre: ___________________________________ Fecha: ____________________

¿CUÁNTO SABES TÚ?

12-25 El futuro. Change the present tense forms of the verbs in parentheses to the future tense to describe the plans for the future of the two friends.

Mi amiga Gertrudis y yo (1. asistimos) ____________________ a la universidad. Gertrudis (2. toma) ____________________ cursos de informática. Yo solamente (3. tomo) ____________________ clases de lenguas extranjeras. Ella (4. aprende) ____________________ a hacer diseños en la computadora. Yo sólo (5. quiero) ____________________ aprender a usar la Red Informática. Gertrudis y sus otras amigas (6. van) ____________________ a las clases por la mañana. Yo (7. tengo) ____________________ que ir por la noche. Nos (8. divertimos) ____________________ mucho en la universidad. ¿Qué (9. estudias) ____________________ tú en la universidad?

12-26 El subjuntivo con conjunciones adverbiales. Complete the following paragraph about your ideals using the appropriate forms of the verbs in parentheses.

Yo (1. ser)____________________ un/a idealista y mi plan (2. ser) ____________________ el de mejorar el medio ambiente tan pronto como (3. ser) ____________________ posible. Primero comenzaré un programa de reciclaje para que nadie (4. echar)____________________ basura a la calle. Luego, emprenderé una campaña para multar a todas las fábricas, a menos que ellas (5. tomar) ____________________ medidas para no contaminar el ambiente. Después de que mi programa (6. tener)____________________ éxito, esperaré que todos los ciudadanos (7. proteger) ____________________ el medio ambiente. Trabajaré siempre para que todos nosotros (8. hacer)____________________ y (9. tener)____________________ un mundo mejor.

ANSWER KEY

LECCIÓN 1 Hola, ¿qué tal?

PRIMERA PARTE

¡Así es la vida!

1-1 Saludos y despedidas.

1. C
2. F: Elena está muy bien.
3. F: La estudiante se llama Elena Acosta.
4. C
5. F: Elena está muy bien.
6. F: Jorge está mal.
7. C
8. F: El examen es el 24 de octubre.

¡Así lo decimos!

1-2 ¿Saludo o despedida?
(Answers may vary.)

Saludo:	Buenos días. Buenas tardes. ¿Qué tal? ¡Hola!
Despedida:	Adiós. Hasta luego. Hasta mañana. Hasta pronto.

1-3 Respuestas.

1. b
2. a
3. b
4. c
5. a
6. b
7. c

1-4 Formal o informal.
(Answers may vary.)

1. ¿Cómo estás? / ¿Cómo está usted?
2. ¿Y tú? / ¿Y usted?
3. ¿Cómo te llamas? / ¿Cómo se llama usted?

1-5 Conversaciones.
(Answers may vary.)

1. ¿Cómo estás? / gracias / usted / Lo siento
2. Buenas tardes / Me llamo / gusto / Igualmente
3. Buenos días / ¿Cómo está usted? / (Muy) bien/ Hasta luego (Adiós)
4. ¿Cómo estás? / tú / (Muy) Bien

¡Así lo hacemos! Estructuras

1. The Spanish alphabet

1-6 Emparejar.

1. c 2. d 3. e 4. a 5. b

2. The numbers 0–99

1-7 Las matemáticas.

1.	nueve	6.	veinte
2.	sesenta	7.	cincuenta
3.	setenta	8.	seis
4.	dieciséis	9.	diecinueve
5.	tres	10.	cuatro

1-8 Más números.

1. trece / diecisiete (diez y siete)
2. ocho / dieciséis (diez y seis)
3. diecinueve (diez y nueve) / veintitrés (veinte y tres)
4. veinticinco (veinte y cinco) / sesenta y nueve
5. cincuenta / noventa
6. treinta y uno / veintisiete (veinte y siete)
7. setenta y cinco / noventa y cinco
8. cincuenta y cinco / noventa y nueve
9. nueve / uno
10. dieciséis (diez y seis) / setenta y ocho

1-9 Números de teléfono.

1. nueve, seis, tres, dos, siete, cuatro (noventa y seis, treinta y dos, setenta y cuatro)
2. cinco, tres, dos, uno, uno, seis, cuatro

3. The days of the week, the months, the date, and the seasons

1-10 Los días de la semana.

1. miércoles
2. lunes
3. jueves
4. martes
5. viernes
6. domingo
7. sábado

1-11 Los meses del año.

1. febrero
2. junio
3. enero
4. julio
5. septiembre
6. abril
7. agosto
8. marzo

1-12 Los días, los meses y las estaciones

1. invierno
2. domingo
3. enero
4. agosto
5. jueves
6. martes
7. octubre
8. verano

1-13 ¿Cierto o falso?

1. C
2. C
3. F: Hay doce meses en un año.
4. F: Mayo es un mes de la primavera.
5. F: La Navidad es en el invierno en el hemisferio norte y en el verano en el hemisferio sur.
6. F: El Día de los Enamorados es en febrero.
7. C
8. F: Hay cuatro estaciones en un año.
9. F: Hay clases de lunes a viernes.

SEGUNDA PARTE

¡Así es la vida!

1-14 Fuera de lugar.

1. d 2. d 3. c 4. b

¡Así lo decimos!

1-15 En la clase.

1. Contesta (Conteste) en español.
2. Escuchen.
3. Ve (Vaya) a la pizarra.
4. Estudien la lección.
5. Lee (Lea) la lección.
6. Cierren el libro.

1-16 ¿Qué hay en la mochila?

1. Hay unos lápices.
2. Hay unos bolígrafos.
3. Hay un cuaderno.
4. Hay un mapa.
5. Hay unos papeles.

1-17 ¿Qué hay en la clase?
(Answers will vary.)

1-18 En la librería.

1. veintiuna (veinte y una) mesas
2. treinta y un bolígrafos
3. sesenta y seis lápices
4. dieciséis (diez y seis) pupitres / escritorios
5. un mapa
6. treinta borradores
7. setenta y un cuadernos
8. ochenta libros

1-19 Los colores.
(Answers will vary.)

1-20 Los antónimos.

1.	g	5.	c
2.	f	6.	e
3.	d	7.	b
4.	a	8.	h

¡Así lo hacemos! Estructuras

4. Definite and indefinite articles; gender of nouns

1-21 El artículo definido.

1.	las	6.	el
2.	los	7.	el
3.	los	8.	el
4.	la	9.	la
5.	las	10.	el

1-22 El artículo indefinido.

1.	un	6.	una
2.	unos	7.	unos
3.	una	8.	un
4.	una	9.	unas
5.	unos	10.	una

1-23 ¡A cambiar!

1. la señora
2. la mujer
3. la artista
4. el estudiante
5. la chica
6. el niño
7. el hombre
8. el muchacho

1-24 ¿Masculino o femenino?

1.	M	6.	F
2.	M	7.	M
3.	F	8.	F
4.	M	9.	F
5.	M	10.	M

5. Plural nouns

1-25 Del plural al singular.

1. la lección interesante
2. un ejercicio difícil
3. la luz blanca
4. un cuaderno anaranjado
5. la silla azul
6. el reloj redondo
7. el escritorio caro
8. una mesa cuadrada

1-26 En la librería.

1. un / unos bolígrafos
2. unos / unos libros
3. un / unos mapas
4. un / unos lápices
5. una / unas sillas
6. unos / unos cuadernos
7. unos / unos papeles
8. una / unas pizarras

6. Adjective form, position, and agreement

1-27 ¡A completar!

1. unos / caros
2. las / antipáticas
3. la / trabajadora
4. unos / españoles
5. una / interesante
6. la / grande
7. las / amarillas
8. los / azules

1-28 No, …

1. unas señoras extrovertidas.
2. unas profesoras simpáticas.
3. una estudiante tímida.
4. un señor fascinante.
5. un estudiante inteligente.
6. unas estudiantes perezosas.
7. un señor bueno.
8. unos franceses trabajadores.

1-29 En general.

1. los escritorios marrones son grandes.
2. las mochilas grises son caras.
3. los relojes grandes son redondos.
4. las mesas blancas son cuadradas.
5. los cuadernos azules son baratos.
6. las estudiantes inteligentes son trabajadoras.
7. las clases grandes son interesantes.
8. los libros verdes son pequeños.

1-30 En clase.
(Answers will vary.)

NUESTRO MUNDO

1-31 Los países de nuestro mundo.

1.	F	5.	F
2.	C	6.	C
3.	F	7.	F
4.	C	8.	C

1-32 Tu experiencia.
(Answers will vary.)

TALLER

1-33 La clase.
(Answers will vary.)

¿CUÁNTO SABES TÚ?

1-34 Saludos y despedidas.

1. b
2. b
3. d
4. c

1-35 Las matemáticas.

1. sesenta y siete
2. treinta y tres
3. noventa y nueve
4. veinticinco (veinte y cinco)
5. ochenta

1-36 Los días, meses y estaciones.

1. julio
2. diciembre
3. febrero
4. octubre
5. sábado / domingo
6. invierno
7. verano
8. miércoles
9. noviembre / otoño
10. abril / primavera

LECCIÓN 2 ¿De dónde eres?

PRIMERA PARTE

¡Así es la vida!

2-1 ¿Cierto o falso?

1. F: José es dominicano.
2. F: Isabel es española.
3. C
4. F: Daniel es rubio.
5. C
6. F: Paco es de Santander
7. C
8. C

¡Así lo decimos!

2-2 Nacionalidades.

1.	colombiana	5.	mexicanas
2.	cubano	6.	venezolano
3.	argentinas	7.	canadienses
4.	dominicanos	8.	panameñas

2-3 Muchas preguntas.

1.	Cómo	5.	Cuándo
2.	De dónde	6.	Quiénes
3.	De qué	7.	Quién
4.	Qué	8.	Cómo

2-4 Los contrarios.

1.	d	6.	i
2.	g	7.	c
3.	e	8.	h
4.	a	9.	f
5.	j	10.	b

2-5 También.

1. La profesora argentina es delgada también.
2. Las muchachas guapas (bonitas) son canadienses también.
3. Los padres altos son españoles también.
4. El señor joven es chileno también.
5. La novia peruana es rica también.
6. La madre es venezolana y rubia también.
7. Las amigas son inteligentes y trabajadoras también.
8. El profesor panameño es joven también.

2-6 Nombres, apodos y direcciones.

1. b
2. c
3. b
4. c
5. a
6. b

Así lo hacemos! Estructuras

1. Subject pronouns and the present tense of ser

2-7 Los sujetos.

1.	él	7.	él
2.	nosotros/as	8.	ellos
3.	ellos	9.	ustedes
4.	ellas	10.	ellos
5.	nosotros/as	11.	ustedes
6.	nosotros/as	12.	ustedes/vosotros

2-8 Luis y Rosario.

1.	es	8.	es
2.	Soy	9.	somos
3.	eres	10.	es
4.	Soy	11.	es
5.	Soy	12.	es
6.	son	13.	Es
7.	es	14.	Son

2-9 Identidades.

1. Nosotros somos los profesores canadienses.
2. Ana y Felipe son unos estudiantes perezosos.
3. ¿Eres tú la estudiante norteamericana?
4. Marisol es una señora delgada.
5. ¿Son ustedes los estudiantes franceses?
6. ¿Es usted el señor mexicano?
7. María Eugenia es una señorita dominicana.
8. Luis y Guille son unos chicos delgados y simpáticos.
9. Ustedes y yo (Nosotros/as) somos españoles (españolas).
10. Carlos y yo somos unos estudiantes inteligentes.

2-10 Combinación.
(Answers will vary.)

1. Yo soy venezolano.
2. Pepe y Teresa son argentinos.
3. Tú eres puertorriqueño.
4. Luis y yo somos dominicanos.
5. Tú y él son trabajadores.
6. Ella es simpática.

2. Telling time

2-11 El horario de clases.

1. c
2. f
3. d
4. a
5. e
6. b

2-12 ¡Adios!

1. A las diez de la mañana. ¿Qué hora es?
   Son las diez menos diez de la mañana.
2. A las diez y cuarto (quince) de la mañana. ¿Qué hora es?
   Son las diez y cinco de la mañana.
3. A las siete y media (treinta) de la noche. ¿Qué hora es?
   Son las siete y veinticinco de la noche.
4. A las cinco menos cuarto (quince) de la tarde. ¿Qué hora es?
   Son las cinco menos veinticinco de la tarde.

3. Formation of yes/no questions and negations

2-13 ¿No?

1. Arturo y David son muy delgados, ¿no?
2. La estudiante cubana es inteligente, ¿cierto?
3. La señora se llama Verónica, ¿verdad?
4. Toño es bajo y gordo, ¿no?
5. Gregorio es antipático, ¿sí?

2-14 Preguntas y negación.

1. Pepe es venezolano. Pepe no es venezolano.
2. Arturo y Miguel son inteligentes. Arturo y Miguel no son inteligentes.
3. Beto y Luis son simpáticos. Beto y Luis no son simpáticos.
4. Tú y yo somos canadienses. Tú y yo no somos canadienses.

2-15 Preguntas y respuestas.

1. ¿Eres (tú) de Salamanca? No, no soy de Salamanca, soy de Madrid.
2. ¿Son de Valencia los estudiantes? No, no son de Valencia, son de Málaga.
3. ¿Son de Santander Rosa y Chayo? No, no son de Santander, son de Granada.
4. ¿Eres (tú) de Madrid? No, no soy de Madrid, soy de Sevilla.
5. ¿Es de Alicante el profesor de matemáticas? No, no es de Alicante, es de Logroño.

4. Interrogative words

2-16 ¿Cuáles son las preguntas?

1. b
2. c
3. d
4. a
5. c
6. b

2-17 En la clase.

1. ¿Cuántos estudiantes hay en la clase?
2. ¿De dónde es la profesora?
3. ¿De qué ciudad es la profesora *(ella)*?
4. ¿Qué días hay clase?
5. ¿Cómo es el libro?
6. ¿Quiénes *(Cuáles)* son los estudiantes chilenos?
7. ¿Cuándo es la clase?

SEGUNDA PARTE

¡Así es la vida!

2-18 Nuevos amigos.

Celia Cifuentes Bernal
1. Toledo
2. dos / español / francés
3. medicina
4. mañana (a las dos de la tarde)
5. difíciles

Alberto López Silvero
1. veintidós
2. español
3. español / (un poco de) inglés
4. derecho
5. tarde
6. fútbol

Adela María de la Torre Jiménez
1. la Universidad de Granada
2. los sábados por la noche
3. una discoteca
4. padres

Rogelio Miranda Suárez
1. matemáticas
2. difíciles / interesantes
3. lunes / miércoles / viernes
4. el verano

¡Así lo decimos!

2-19 Fuera de lugar.

1.	a	4.	d
2.	b	5.	c
3.	c	6.	d

2-20 Actividades.

1.	g	6.	h
2.	b	7.	f
3.	e	8.	d
4.	i	9.	c
5.	a	10.	j

¡Así lo hacemos! Estructuras

5. The present tense of regular –ar verbs

2-21 ¿Qué hacen?

1.	caminamos	6.	miran
2.	preparan	7.	bailan
3.	Trabajas	8.	conversan
4.	nadan	9.	estudian
5.	practicamos	10.	escucho

2-22 ¡Muy ocupados!
(Answers may vary.)

1.	practican	5.	nadan
2.	practica	6.	nado
3.	estudia	7.	camino
4.	nada	8.	baila

2-23 Nuevos amigos.
(Answers will vary.)

1. Sí, trabajo. Trabajo en la librería de la universidad.
2. Mi padre habla inglés y francés.
3. Sí, practicamos mucho español.
4. Camino con amigos.

6. The present tense of *tener* and *tener* expressions

2-24 Tener.

1.	tienes	4.	tiene
2.	tenemos	5.	tenemos
3.	tienen	6.	tengo

2-25 Asociaciones.

1. tengo sed
2. tenemos frío
3. tienen miedo
4. tienes hambre
5. tiene cuidado / tiene prisa
6. tiene sueño

2-26 Responsabilidades.
(Answers will vary but should follow the model construction.)

1. tengo que trabajar
2. tengo que caminar mucho
3. tengo que estudiar la lección
4. tienen que trabajar
5. tiene que nadar
6. tiene que preparar la clase

NUESTRO MUNDO

2-27 España.

1.	F	5.	C
2.	F	6.	F
3.	C	7.	C
4.	F	8.	C

TALLER

2-28 La vida de Marisol.

1. Marisol es estudiante.
2. Estudia en la Universidad de Navarra. Estudia derecho.
3. Tiene veinte años.
4. Nada y practica el fútbol.
5. Tiene que estudiar mucho (porque mañana tiene un examen de derecho).
6. Hay nueve estudiantes en la clase de francés.
7. Hay tres españoles, dos chilenos, un italiano, dos portugueses. Marisol es mexicana.
8. Es muy simpática.

2-29 Tu vida universitaria.
(Answers will vary.)

¿CUÁNTO SABES TÚ?

2-30 En la clase.

1.	Por qué	5.	Qué / Cuántos
2.	Cuándo / Cómo	6.	Quiénes /Cuáles/ Cómo
3.	Cuál / Cómo	7.	De dónde/ Cómo/ Cuál
4.	Cuántas	8.	De qué

2-31 En la cafetería.
(Answers will vary.)

1. Me llamo… / Mi nombre es. . . / Soy…
2. Soy de. . .
3. Soy de. . .
4. Soy. . .
5. (Mi clase…/ La clase de español…) Es…
6. El/La profesor /profesora (de español) es de. . .

2-32 ¿Qué hora es?

1.	b	5.	c
2.	g	6.	a
3.	d	7.	e
4.	f		

2-33 Mi amiga Luisa.

1.	soy	6.	es
2.	es	7.	estudian
3.	tiene	8.	practican
4.	estudia	9.	tiene
5.	tiene	10.	Tienes

2-34 Los horarios de vuelo.

1. La salida del vuelo AZ 1373 es a las ocho menos cinco de la mañana.
2. Hay tres vuelos diarios de Madrid a Milán.
3. La llegada del vuelo AZ 1377 es a las diez y veinte de la mañana.
4. Hay conexiones a cuarenta ciudades.

5. El número del teléfono de información en Madrid es el cinco, cinco, nueve, nueve, cinco, cero, cero.

LECCIÓN 3 ¿Qué estudias?

PRIMERA PARTE

¡Así es la vida!

3-1 ¿Qué materias vas a tomar?

1. C
2. C
3. F: La clase de inglés es difícil.
4. F: Luis no va a tomar la clase.
5. C
6. F: La clase es a las nueve y cinco.
7. C
8. F: Ana estudia tres idiomas.

¡Así lo decimos!

3-2 El horario de Pedro Arturo.

1.	inteligente	7.	Todos
2.	complicado	8.	tareas
3.	toma	9.	exigentes
4.	materias	10.	gimnasio
5.	Generalmente	11.	nada
6.	solamente	12.	baila

3-3 Tu horario.
(Answers will vary.)

3-4 ¿Qué clases tienen?

1. Tenemos una clase de álgebra (matemáticas).
2. Tienes una clase de estudios canadienses (historia).
3. Tiene una clase de música.
4. Tiene una clase de química.
5. Tienen una clase de economía.
6. Tengo una clase de literatura.
7. Tiene una clase de estudios ambientales.

¡Así lo hacemos! Estructuras

1. Numbers 100 – 1.000.000

3-5 ¿Cuánto?

1. b
2. a
3. c
4. b
5. c

3-6 En la librería.

1. seiscientas una
2. doscientas dos
3. ciento un
4. ciento veinticuatro
5. diez mil doscientos doce
6. un millón quinientos mil
7. mil doscientos dieciséis
8. setecientas noventa y nueve
9. diez mil una
10. mil setecientos

3-7 La Loto.

1. Es el veintiocho de mayo.
2. La combinación ganadora es dos, diecisiete, veinticinco, treinta y cinco, treinta y siete, cuarenta y ocho.
3. Gana cuatro millones doscientos cincuenta y seis mil noventa pesos.
4. Un acertante tiene todos los números.
5. Hay seis mil setecientos setenta y cinco acertantes con cuatro números.
6. Cada uno de los participantes gana veintidós pesos.

2. Possession

3-8 Mis amigos.

1.	Nuestros	7.	Sus
2.	nuestra	8.	Su
3.	Sus	9.	Sus
4.	Sus	10.	mis
5.	Sus	11.	tus
6.	sus	12.	mi

3-9 ¿De quiénes son estos objetos?

1. El bolígrafo verde es del profesor. / Es su bolígrafo.
2. El libro grande es de Ana y de Sofía. / Es su libro.
3. La mochila es de Evangelina. / Es su mochila.
4. Los lápices morados son de Alberto. / Son sus lápices.
5. El cuaderno es del chico. / Es su cuaderno.
6. Los diccionarios son de él. / Son sus diccionarios.
7. La calculadora es de usted. / Es su calculadora.
8. El horario de clases es de ustedes. / Es su horario.
9. Los microscopios son de las estudiantes de biología. / Son sus microscopios.
10. Los papeles son de la profesora. / Son sus papeles.

3-10 ¿Es tu. . . ?

1. No, no es mi diccionario. Es el diccionario del estudiante francés.
2. No, no son nuestros bolígrafos. Son los bolígrafos de tu amigo.
3. No, no son mis libros. Son los libros de José Antonio.
4. No, no es nuestra clase. Es la clase de los estudiantes argentinos.
5. No, no es mi calculadora. Es la calculadora de Paco.
6. No, no son mis lápices. Son los lápices de la profesora.
7. No, no es nuestra profesora. Es la profesora de María Cristina.
8. No, no es mi borrador. Es el borrador de la chica dominicana.

3. The present tense of ***hacer*** and ***ir***

3-11 En la residencia estudiantil.

1.	hacemos	5.	hacen
2.	hago	6.	hacen
3.	hace	7.	haces
4.	hacen	8.	hacer

3-12 ¿Adónde van?

1.	va	5.	va
2.	vamos	6.	van
3.	voy	7.	vas
4.	van	8.	van/vais

3-13 ¿Qué va a hacer?

1. e
2. c
3. b
4. d
5. a

3-14 Mañana.

1. Bernardo va a practicar el béisbol mañana.
2. Voy a necesitar mi calculadora mañana.
3. Vamos a ir al concierto mañana.
4. Elena va a conversar con sus amigos mañana.
5. Nuestros padres van a llegar tarde mañana.
6. Raúl y tú van (vais) a ir al gimnasio mañana.

3-15 ¿Qué vas a hacer esta noche?

(Answers will vary, but should follow the model.)

SEGUNDA PARTE

¡Así es la vida!

3-16 ¿Cierto o falso?

1. F: Son las once y media de la mañana.
2. F: Ana Rosa y Carlos hablan después de clase.
3. F: Carlos va a beber un refresco antes de ir a la biblioteca.
4. C
5. F: La librería está detrás de la Facultad de Matemáticas.
6 F: Carlos necesita leer una novela para la clase de literatura.
7. C
8. C
9. F: Marisa vive lejos de la universidad.
10. C

¡Así lo decimos!

3-17 ¡Fuera de lugar!

1. a
2. a
3. d
4. b

3-18 Consejos.

1. d
2. e
3. a
4. b
5. c

3-19 La universidad.
(Answers may vary.)

1. Es en la Facultad de Derecho que está detrás de la biblioteca.
2. Es en la Facultad de Ingeniería que está al lado (a la derecha) de la librería.
3. Es en la Facultad de Lenguas que está a la izquierda (al lado) del centro estudiantil.
4. Es en la Facultad de Ciencias que está entre la residencia estudiantil y la cafetería.

¡Así lo hacemos! Estructuras

4. The present tense of *estar*

3-20 En el teléfono.

1.	estás	8.	están
2.	Estoy	9.	estoy
3.	Estoy	10.	está
4.	está	11.	está
5.	está	12.	está
6.	está	13.	está
7.	están	14.	estar

3-21 ¿Cómo están?
(Answers may vary.)

1. estoy nervioso/a
2. están ocupados
3. estamos cansados
4. estamos aburridos
5. está triste
6. están enojados
7. está enferma
8. está preocupado

5. The present progressive

3-22 Una conversación por teléfono.

1. Está jugando al fútbol.
2. Están escuchando música.
3. Está preparando la cena.
4. Está comiendo.

3-23 ¡Muchas actividades!

1. está mirando la televisión
2. está escribiendo una carta
3. está tocando la guitarra
4. está aprendiendo a cantar
5. está conversando con sus amigos
6. está hablando por teléfono
7. está haciendo ejercicios
8. está comiendo hamburguesas
9. está preparando el almuerzo

6. Summary of uses of *ser* and *estar*

3-24 Mi pequeño mundo.

1. es, Es, está, Es, Está, está, está
2. son, están, es, Son, están, es
3. son, son, están, es, son, es, es, estoy

3-25 ¡A escribir!

1. ¿Es joven tu amiga Viviana?
2. ¿Son chilenos tus amigos Pedro y Pablo?
3. ¿Estás contento/a?
4. ¿Están listos tus amigos para ir a la biblioteca?
5. ¿Es alta tu profesora de francés?
6. ¿Es abogada tu madre?
7. ¿Está enfermo tu perro?

3-26 Entrevista.
(Answers will vary, but verbs should not.)

1. Sí, es de Ontario.
2. No, no está en la universidad ahora.
3. Sí, es grande.
4. Sí, está trabajando.
5. Sí, soy una buena persona.
6. Sí, soy listo/a.
7. Sí, estoy listo/a para ir al cine.
8. Sí, estoy estudiando.
9. No, no soy alto/a.
10. No, no somos españoles.
11. Sí, estamos en casa.
12. Sí, estamos contentos.

7. The present tense of regular *–er* and *–ir* verbs

3-27 Mis amigas.

1.	viven	10.	como
2.	aprenden	11.	comemos
3.	asisten	12.	bebemos
4.	escriben	13.	comen
5.	lee	14.	beben
6.	creo	15.	creen
7.	debe	16.	creo
8.	abre/abren	17.	vives
9.	comen		

3-28 Preguntas y respuestas.
(Answers will vary.)

1. aprendes / Aprendo. . .
2. abre / Abre a las. . .
3. bebes / Bebo. . .
4. debes / Debo . . .
5. lees / Leo . . .
6. Crees / Sí, creo que. . .
7. haces / Estudio. . .
8. asistes / Asisto. . .

NUESTRO MUNDO

3-29 ¡México lindo!

1. C
2. C
3. F
4. F
5. C
6. F
7. C
8. C
9. F

3-30 La investigación.
(Answers will vary.)

TALLER

3-31 Una conversación entre amigos.

Primera fase.

1. Tomás está muerto de cansancio.
2. Trabaja hoy y mañana.
3. Tiene que escribir una composición para la clase de literatura.
4. Tiene examen en la clase de química.
5. Hay una fiesta en su apartamento porque es el cumpleaños de su novia.
6. El va a preparar la comida y comprar los refrescos para la fiesta.

Segunda fase
(Answers will vary.)

¿CUÁNTO SABES TÚ?

3-32 Los números.

1. d
2. c
3. a
4. e
5. b

3-33 La posesión.

1. d
2. e
3. b
4. a
5. c
6. f

3-34 El verbo *tener*.

1. d
2. f
3. a
4. c
5. b
6. e

3-35 Los verbos *ser* y *estar*.

1.	eres	7.	es
2.	Soy	8.	son
3.	son	9.	es
4.	son	10.	Es
5.	estamos	11.	está
6.	es	12.	está

3-36 Actividades.

1. asiste / escribo
2. leen / aprende
3. como / bebes
4. abre / leemos

LECCIÓN 4 ¿Cómo es tu familia?

PRIMERA PARTE

¡Así es la vida!

4-1 ¿Recuerdas?

1. Recibe un correo electrónico de (su amiga) Ana María Pérez.
2. Juan Antonio es de Costa Rica y Ana María es de Guatemala.
3. Ella está con su familia.
4. Su papá es profesor y su mamá es dentista.
5. Ella tiene tres hermanos. Se llaman Carmen, Ernesto y Lucía.
6. Carmen tiene veintidós años, Ernesto tiene quince años y Lucía tiene nueve años.
7. Julia y Rosendo son los tíos de Ana María.
8. Pedrito es el primo de Ana María.
9. Va a Costa Rica.
10. Ella regresa el 2 de septiembre.

¡Así lo decimos!

4-2 La familia de Ana María.

1. Es mi hermana.
2. Es mi tía.
3. Son mis padres.
4. Son mis tíos.
5. Es mi abuela.
6. Son mis primos.

4-3 Tu familia.

1.	abuelo	6.	primas
2.	tía	7.	suegra
3.	cuñado	8.	hermano
4.	sobrinos	9.	abuelos
5.	madrastra/ madre	10.	nieto

4-4 Preguntas personales.
(Answers will vary.)

1. Mis abuelos son de. . .
2. Mis abuelos viven cerca (lejos) de mi casa.
3. Sí, (No, no) tengo. . .
4. Sí, (No, no) tengo muchos primos.
5. Ellos viven en . . .
6. Tengo. . . tías.
7. Mi madre es . .
8. Mi madre trabaja en (es).../ Mi padre trabaja en (es)...

¡Así lo hacemos! Estructuras

1. The present tense of stem-changing verbs: e→ie, e→i, o→ue

4-5 Un día en la vida de Tomás.

1.	tiene	9.	vuelve
2.	empieza	10.	quiere
3.	puede	11.	juegan
4.	prefiere	12.	piensa
5.	duerme	13.	juega
6.	almuerza	14.	dicen
7.	pide	15.	piensa
8.	sirve		

4-6 ¿Qué hacen?

1. servimos
2. sueñan
3. prefieren hablar
4. quiere
5. duermo
6. juegan

4-7 Tu familia.
(Answers will vary.)

1. Sí, (No, no) tengo muchos hermanos. . .
2. Sí, (No, no) vienen a la universidad.
3. Prefiero...
4. Sí, (No, no) pienso visitar a mi familia pronto (el 15 de diciembre, etc.).
5. Sí, (No, no) entienden español.
6. Generalmente almuerzan a la(s)...
7. Sirven. . .
8. Prefiero. . .

2. Formal commands

4-8 En el laboratorio.

1.	Esté	7.	Haga
2.	Busque	8.	Vaya
3.	Abra	9.	Escriba
4.	Lea	10.	Termine
5.	Siga	11.	Llame
6.	Mire	12.	Vuelva

4-9 Rosalía y Felipe.

1. Vivan / piensen
2. Hablen / conversen
3. Coman / duerman
4. Trabajen / compren
5. Jueguen / riñan
6. Quieran / pidan
7. Recuerden / sigan

4-10 Diferencias de opinión.

1. Sí, preparen la comida. / No, no preparen la comida.
2. Sí, vengan a las tres. / No, no vengan a las tres.
3. Sí, abran las ventanas. / No, no abran las ventanas.
4. Sí, conversen con sus abuelos. / No, no conversen con sus abuelos.
5. Sí, jueguen al tenis con sus primas. / No, no jueguen al tenis con sus primas.
6. Sí, coman a las ocho de la noche. / No, no coman a las ocho de la noche.
7. Sí, miren la televisión. / No, no miren la televisión.
8. Sí, lean una novela. / No, no lean una novela.

SEGUNDA PARTE

¡Así es la vida!

4-11 Una invitación.

1. quiere ir al cine
2. (Cine) Rialto
3. Lágrimas de amor
4. a qué hora es la función
5. a las siete
6. a las seis y media
7. Raúl

¡Así lo decimos!

4-12 ¿Adónde vas para…?

1. b
2. e
3. f
4. d
5. a
6. c

4-13 ¿Vamos al cine?
(Answers will vary.)

1. Sí, claro.
2. Me encantaría.
3. Lo siento; tengo que estudiar.
4. De acuerdo.
5. Gracias, pero no puedo.

¡Así lo hacemos! Estructuras

3. Direct objects, the personal *a*, and direct object pronouns

4-14 El fin de semana.

1.	a / a	6.	-
2.	a	7.	-
3.	-	8.	a
4.	a	9.	a
5.	-	10.	-

4-15 ¡A completar!

1.	me	5.	los / las
2.	te	6.	la
3.	las	7.	los
4.	me	8.	lo

4-16 Frases redundantes.

1. Yo las llamo todos los días.
2. Mi tía la visita mucho.
3. Mi madre los compra.
4. Mi padrastro los invita a comer.
5. Tu cuñado lo necesita.
6. Sus sobrinos las buscan.
7. Nuestra sobrina lo mira.
8. Su madrina las prepara.

4-17 Los planes.

1. Sí, las invitamos.
2. No, no lo llamamos.
3. Sí, la tenemos que preparar. / Sí, tenemos que prepararla.
4. No, no vamos a comprarlos./No, no los vamos a comprar.
5. Sí, vamos a usarlo./ Sí, lo vamos a usar.
6. No, no necesitamos llevarla./ No, no la necesitamos llevar.
7. No, no la podemos visitar. / No, no podemos visitarla.

4-18 La llamada.

1. Sí, mi padre está mirándola.
   Sí, mi padre la está mirando.
2. Sí, mi hermana está haciéndola.
   Sí, mi hermana la está haciendo.
3. Sí, mis hermanos están bebiéndolos.
   Sí, mis hermanos los están bebiendo.
4. Sí, mi abuelo está comiéndolo.
   Sí, mi abuelo lo está comiendo.
5. Sí, mi prima está escribiéndola.
   Sí, mi prima la está escribiendo.
6. Sí, mis hermanas están escuchándola. / Sí, mis hermanas la están escuchando.

4. *Saber* and *conocer*

4-19 Una conversación.

1.	Conoces	9.	sabe
2.	Sabes	10.	conoce
3.	sé	11.	conoce
4.	sé	12.	conoce
5.	Sabes	13.	conozco
6.	sé	14.	sé
7.	Sabes	15.	conocer
8.	sé		

4-20 Más información.

1.	Saben	6.	Saben
2.	Conocen	7.	Sabe
3.	Sabe	8.	Conoces
4.	Conoce	9.	Sabe
5.	Sabes	10.	Conoces

4-21 Unas preguntas.
(Answers will vary.)

1. Sabes/ Sí, (No, no) sé…
2. Sabes/ Sí, (No, no) sé…
3. Conoces/ Sí, (No, no) conozco…
4. Conoces/ Sí, (No, no) conozco…
5. Sabes/ Sí, (No, no) sé…
6. Conoces/ Sí, (No, no) conozco…

NUESTRO MUNDO

4-22 La América Central I.

1.	C	5.	C
2.	C	6.	F
3.	F	7.	C
4.	F	8.	F

4-23 La investigación.
(Answers will vary.)

TALLER

4-24 La familia
(Answers will vary.)

¿CUÁNTO SABES TÚ?

4-25 Nuestra familia.

1. almuerzo / consigo
2. puede / juega
3. duerme / entiende
4. sirven / vienen
5. suelo / riño

4-26 Los consejos de la profesora.

1.	Lea	6.	salga
2.	Estudie	7.	Siga
3.	Empiece	8.	Repita
4.	Haga	9.	Practique
5.	Pida	10.	Escriba

4-27 Los pronombres de objeto directo.

1. c
2. b
3. e
4. a
5. d

4-28 Los verbos *saber* y *conocer*.

1. conozco
2. sabe
3. sabemos
4. conocen
5. saben

LECCIÓN 5 ¿Cómo pasas el día?

PRIMERA PARTE

¡Así es la vida!

5-1 ¿Recuerdas?

1. tres
2. Antonio
3. ayuda
4. sacudir el polvo de los muebles / pasar la aspiradora
5. hoy es su cumpleaños
6. Cristina
7. Rosa
8. celebrar en la fiesta

¡Así lo decimos!

5-2 ¡A completar!

1.	sofá	6.	libreros
2.	cuadro	7.	basura
3.	garaje	8.	césped
4.	cubo	9.	secadora
5.	cocina	10.	escoba

5-3 ¿Con qué frecuencia haces estos quehaceres?
(Answers will vary.)

1. Limpio mi cuarto dos veces al mes.
2. Hago la cama todos los días.
3. Lavo la ropa una vez a la semana.
4. Paso la aspiradora de vez en cuando.
5. Saco la basura una vez a la semana.

5-4 ¿Cómo es tu cuarto?
(Answers will vary.)

5-5 Casas y apartamentos.
(Answers may vary.)

1. La casa que está en Palo Seco tiene tres plantas.
2. La casa tiene cinco dormitorios, cinco baños, alojamiento de criadas, suite principal, jacuzzi, piscina, garaje y jardines.
3. La casa que está en Los Arcos es más grande porque tiene más dormitorios, más baños y más metros cuadrados.
4. La casa de Palo Seco tiene más baños.
5. Las casas de Los Arcos y Palo Seco tienen garaje.
6. La casa de Palo Seco es la casa más cara de todas y cuesta ciento cuarenta y cuatro millones novecientos noventa y nueve mil novecientos colones.
7. La casa que está en Parritta cuesta treinta y nueve millones setecientos mil colones.
8. Prefiero comprar….

¡Así lo hacemos! Estructuras

1. The verb *dar*, and the indirect object and indirect object pronoun

5-6 Hoy.

1.	da	4.	dan
2.	doy	5.	damos
3.	das		

5-7 ¡A completar!

1.	me	6.	le
2.	les	7.	nos
3.	les	8.	le
4.	te	9.	les
5.	le	10.	le

5-8 En la tienda.

1. Les doy una plancha a mis primos.
2. Le doy una alfombra a mi mamá.
3. Le doy una lámpara a mi papá.
4. Les doy una lavadora a mi primo y a su esposa.
5. Les doy un televisor a nuestras hermanas.
6. Le doy un cuadro a nuestra profesora.

5-9 ¿Qué les das?
(Answers will vary.)

2. The present tense of *poner, salir, traer,* and *ver*

5-10 Varias situaciones.

1. ponen / pongo / pones / pone
2. sale / salen / salen / salgo / salgo / salimos
3. ves / ve / ven / ven / veo
4. traes / traigo / trae / traen

5-11 Los planes.

1.	salen	8.	salir
2.	hace (trae)	9.	ver
3.	trae	10.	salir
4.	pone	11.	ver
5.	salir	12.	salgo
6.	salimos	13.	salimos
7.	pongo		

SEGUNDA PARTE

¡Así es la vida!

5-12 ¿Cierto o falso?

1. F: Los hermanos Castillo son costarricenses (de Costa Rica).
2. F: Antonio es madrugador.
3. C
4. F: Antonio le prepara el desayuno a su mamá.
5. C
6. C
7. F: Ella sale de la casa hoy sin maquillarse.
8. F: Enrique no es madrugador.
9. F: Él se acuesta muy tarde por la noche.
10. F: El jefe se pone furioso con Enrique muchas veces.

¡Así lo decimos!

5-13 ¡A completar!

1. despertador
2. jabón
3. cepillo de dientes
4. lápiz labial
5. espejo
6. secadora (toalla)
7. crema de afeitar
8. hoja (máquina) de afeitar
9. maquillaje (lápiz labial)
10. toalla

5-14 Un poco de lógica.
(Answers may vary.)

1. Me despierto. Me levanto. Me baño. Me seco con una toalla. Me preparo el desayuno.
2. Laura se ducha. Se viste. Se mira en el espejo. Se pinta los labios. Se cepilla el pelo.
3. Mis amigos se quitan la ropa. Se cepillan los dientes. Se acuestan. Se duermen.
4. Nosotros nos ponemos la crema de afeitar. Nos afeitamos. Nos lavamos la cara. Nos ponemos la ropa.

5-15 ¡Fuera de lugar!

1.	b	4.	c
2.	c	5.	b
3.	a	6.	a

¡Así lo hacemos! Estructuras

3. Reflexive constructions: pronouns and verbs

5-16 ¿Qué hacen estas personas por la mañana?

1.	se mira	6.	se bañan
2.	nos levantamos	7.	me ducho
3.	se seca	8.	se pone
4.	te lavas	9.	se afeita
5.	se viste	10.	te pintas

5-17 ¿Y tú?
(Answers will vary.)

1. Sí, (No, no) soy madrugador(a). Me despierto a las…
2. Prefiero…
3. Sí, (No, no) me afeito. Me afeito con…
4. Me pongo…
5. Me pongo…
6. Me visto antes (después) de tomar el desayuno.
7. Me cepillo los dientes…
8. Me acuesto a las…

5-18 Mamá mandona.

1.	lávense	6.	prepárense
2.	no se duerman	7.	no se sienten
3.	no se pongan	8.	No se enojen
4.	báñense	9.	péinense
5.	no se vistan	10.	levántense

5-19 ¿Qué están haciendo?

1. se está mirando en el espejo. / está mirándose en el espejo.
2. se está duchando. / está duchándose.
3. se está secando el pelo. / está secándose el pelo.
4. se está pintando los labios. / está pintándose los labios.
5. se está peinando. /está peinándose.
6. se está quitando el suéter. / está quitándose el suéter.
7. se está secando con una toalla. / está secándose con una toalla.
8. se está lavando los dientes. / está lavándose los dientes.

4. Reciprocal constructions

5-20 Celina y Santiago.

1. Nos queremos mucho.
2. Nos escribimos poemas todos los días.
3. Nos contamos los problemas.
4. Nos hablamos antes y después de clase.
5. Nos ayudamos con la tarea.
6. Nos decimos cosas privadas.
7. Nos besamos mucho.
8. Nos damos regalos.

5-21 ¡Qué romántico!

1. Jorge y Susana se miran.
2. Jorge y Susana se sonríen.
3. Jorge y Susana se dicen "Hola".
4. Jorge y Susana se piden los nombres.
5. Jorge y Susana se dan refrescos.
6. Jorge y Susana se hablan del trabajo.
7. Jorge y Susana se deciden llamar.
8. Jorge y Susana se invitan al cine.

5-22 El verano.
/Answers will vary.)

1. Sí, (No, no) nos escribimos…
2. Sí, (No, no) nos contamos…
3. Sí, (No, no) nos hablamos…
4. Sí, (No, no) nos vemos…
5. Sí, (No, no) nos visitamos…

NUESTRO MUNDO

5-23 La América Central II.

1. C
2. C
3. F
4. C
5. F
6. F
7. C
8. C
9. F
10. C

5-24 La investigación.
(Answers will vary.)

TALLER

5-25 Las rutinas diarias.
(Answers will vary.)

¿CUÁNTO SABESTÚ?

5-26 Los pronombres de objeto indirecto.

1. c
2. e
3. b
4. a
5. d

5-27 Los verbos *poner, salir, traer* y *ver*.

1. traen
2. salgo
3. pongo
4. vemos
5. traigo
6. salimos

5-28 Los verbos reflexivos.

1.	me despierto	7.	se levantan
2.	me baño	8.	se ducha
3.	me cepillo	9.	se peina
4.	me afeito	10.	se pinta
5.	me lavo	11.	nos reunimos
6.	me lavo	12.	nos desayunamos

LECCIÓN 6 ¡Buen provecho!

PRIMERA PARTE

¡Así es la vida!

6-1 ¡Buen provecho!

1. F: Marta tiene hambre.
2. F: A Marta no le gustan las hamburguesas.
3. C
4. F: En el restaurante Don Pepe sirven platos típicos españoles.
5. C
6. F: Marta quiere una copa de vino (tinto).
7. F: Arturo quiere beber una limonada.
8. C
9. C
10. F: Marta es alérgica a los camarones.
11. F: Arturo pide los camarones y una ensalada.
12. F: A Arturo le gustan mucho los camarones.
13. C
14. F: Arturo va a recomendarles el restaurante.

Así lo decimos!

6-2 En el restaurante.

1. e
2. c
3. d
4. b
5. a
6. f

6-3 ¿Qué te gusta comer?

(Answers will vary.)

6-4 Categorías.

1.	c	5.	a
2.	d	6.	b
3.	b	7.	a
4.	c	8.	d

6-5 ¿Cómo está la comida?
(Answers will vary.)

1. está rica
2. está muy mala
3. está crudo
4. están frescas
5. está fría

6-6 Cuestionario.
(Answers will vary.)

1. Almuerzo a la(s) …
2. Como….
3. Ceno en…
4. Sí, desayuno. (No, no desayuno.) Como…
5. Mi plato favorito es. . . porque. . .

¡Así lo hacemos! Estructuras

1. *Gustar* and similar verbs

6-7 ¡A completar!

1.	nos quedan	6.	le encantan
2.	le fascinan	7.	me molesta
3.	les cae mal	8.	me falta
4.	Te interesa	9.	Les gusta
5.	Les parece	10.	le cae bien

6-8 Los gustos.
(Answers will vary.)

6-9 ¿Qué cosas te gustan?
(Answers will vary.)

1. Me gusta salir con mis amigos.
2. Me encantan los platos españoles.
3. Me interesa visitar los países de Suramérica.
4. Sí, me fascinan.
5. Me molesta lavar los platos.
6. No, no me parece difícil.

2. Double object pronouns

6-10 Una cena horrible.

1.	se las	5.	se los
2.	se las	6.	se la
3.	se la	7.	se la
4.	se los	8.	se la

6-11 En el restaurante Los Hermanos.

1. tráigaselo
2. lléveselos
3. sírvaselos
4. se la pongan
5. se los corte
6. se los laven
7. búsquenselos
8. muéstreselo
9. se la pida
10. prepárenselo

6-12 Actividades en el restaurante.

1. Sí, se los está llevando (está llevándoselos).
2. Sí, se lo están pidiendo (están pidiéndoselo).
3. Sí, se lo están preparando (están preparándoselo).
4. Sí, me los está sirviendo (está sirviéndomelos).
5. Sí, se la estamos pagando (estamos pagándosela).
6. Sí, nos lo está trayendo (está trayéndonoslo).
7. Sí, te (se) los está poniendo (está poniéndote(se)los).
8. Sí, nos la está haciendo (está haciéndonosla).

SEGUNDA PARTE

¡Así es la vida!

6-13 En la cocina.

1. Les enseñó a hacer un cóctel de camarones.
2. Ella va a cocinar arroz con pollo.
3. Hay que cortar el pollo y hay que ponerlo en un recipiente.
4. Se le añade jugo de limón y un poco de ajo picado al pollo.
5. Ella calienta un poco de aceite de oliva. Lo calienta en una cazuela.
6. Cocina el pollo a fuego medio.
7. Le añade una cebolla y un pimiento. Lo cocina por cinco minutos.
8. Añade una taza de salsa de tomate, una cucharadita de sal, una pizca de pimienta y azafrán, media taza de vino blanco y dos tazas de caldo de pollo. Lo deja cocinar por unos cinco minutos más.
9. El último ingrediente que añade son dos tazas de arroz blanco. Lo deja cocinar por unos veinticinco minutos.
10. Se sirve caliente.

¡Así lo decimos!

6-14 ¡A completar!

1.	fregadero	7.	sartén
2.	congelador	8.	receta
3.	microondas	9.	recipiente
4.	cafetera	10.	pizca
5.	refrigerador	11.	tostadora
6.	estufa	12.	pelar

6-15 Muchos cocineros.

1.	pelan	6.	pica
2.	bate	7.	hiervo
3.	añade	8.	tuestas
4.	preparan	9.	hornean
5.	fríen	10.	prenden

6-16 Una receta.
(Answers will vary.)

¡Así lo hacemos! Estructuras

<u>**3. The preterit of regular verbs**</u>

6-17 ¿Qué hicieron en la clase de cocina?

1.	peló	6.	tapó
2.	picaron	7.	prendimos
3.	echó	8.	volteó
4.	mezclé	9.	tostaron
5.	batió	10.	comimos

6-18 ¡A completar!

1.	buscaron	11.	Pagaste
2.	caminaron	12.	pareció
3.	encontraron	13.	salieron
4.	preguntó	14.	llegamos
5.	comieron	15.	abrazó
6.	salieron	16.	comencé
7.	volvieron	17.	busqué
8.	cenaste	18.	enseñó
9.	Comiste	19.	gustó
10.	esperaron	20.	compramos

6-19 Algunas preguntas.
(Answers will vary.)

1. Sí, (No, no) desayuné. Comí…
2. Almorcé con…
3. Cené en…. Comí….
4. Sí, (No, no) salí…
5. Sí, (No, no) estudié… Estudié…

<u>**4. *Tú* commands**</u>

6-20 Mandatos en la cocina.

1.	Lee	5.	Pon
2.	Compra	6.	Haz
3.	Lava	7.	añadas
4.	prendas	8.	Hierve

6-21 En el Restaurante Rivera.

1. Tráelos.
2. Cómpralo.
3. Córtalo.
4. Caliéntala.
5. Pícalas.
6. Lávalos.
7. Ponlos en las mesas.
8. Mézclalos.
9. Muéstralo.
10. Hornéalo.

6-22 Preguntas, preguntas.

1. léesela
2. cómpramelos
3. échaselas
4. no se los pongas
5. pónselo
6. prepárasela
7. córtasela
8. no me la traigas
9. lávamelos
10. llévaselo

NUESTRO MUNDO

6-23 Chile: Un país de contrastes.

1. F
2. C
3. C
4. F
5. C
6. C
7. F
8. C
9. F
10. F

6-24 La investigación.
(Answers will vary.)

TALLER

6-25 Los anuncios.
(Answers may vary.)

1. Estos restaurantes están en Santiago de Chile.
2. La Casa de los Tres Hermanos y La Masia anuncian las especialidades. Son pescado a la parrilla, filetes, camarones al horno, ensaladas, setas, rabo de toro, pescados, chuletas y caza.
3. La Casa de los Tres Hermanos ofrece platos especiales del día.
4. Su especialidad es la carne (de res).

6-26 Una receta.
(Answers will vary.)

¿CUÁNTO SABES TÚ?

6-27 Los verbos como *gustar*.

1. gustan
2. gustan
3. caen mal
4. gustan
5. fascinan
6. encantan
7. gusta
8. caes

6-28 El doble pronombre.

1. nos la
2. se la
3. me lo
4. te las
5. nos los

6-29 El pretérito.

1. me desperté
2. decidí
3. Llamé
4. invité
5. llegamos
6. entramos
7. preguntó
8. respondió
9. comimos
10. preparó
11. añadí
12. gustó
13. bebí
14. tomó
15. dejamos

6-30 Los mandatos.

1. consigue
2. fríe
3. hornea
4. pela
5. ve
6. haz
7. pongas
8. hiervas
9. pon
10. revuelve

LECCIÓN 7 ¡A divertirnos!

PRIMERA PARTE

¡Así es la vida!

7-1 El fin de semana.

1. qué van a hacer
2. leyendo algunos anuncios que aparecen en el centro estudiantil de la universidad
3. ir al partido de básquetbol
4. hace buen tiempo y no quiere estar dentro de un gimnasio
5. ir a la feria internacional
6. ir a la playa / hace sol y mucho calor
7. nadar en el mar y hacer un picnic
8. los sándwiches / los refrescos
9. la sombrilla
10. tiene más espacio
11. ideal para nadar (bonito)
12. la bolsa con los trajes de baño
13. en la residencia de estudiantes
14. van a poder nadar en el mar

¡Así lo decimos!

7-2 ¡A completar!

1. d
2. e
3. b
4. f
5. a
6. c

7-3 En el teatro.

1. El teatro se llama el Teatro Hispaniola.
2. La obra teatral se llama "Diatriba de amor contra un hombre sentado".
3. La dirección es Calle de Albatros, cuarenta y dos.
4. La obra es el jueves.
5. Es a las nueve de la noche.
6. El boleto cuesta seiscientos pesos.
7. El asiento es el diez, en la fila tres.
8. Sí, es el ocho, cero, nueve, cinco, siete, uno, cero, dos, nueve, cero.

7-4 ¿Qué tiempo hace?
(Answers will vary.)

1. hace frío y nieva
2. hace fresco (hace frío)
3. nado en el mar (hace mucho calor)
4. hace fresco (hace frío)
5. hace buen tiempo (llueve mucho)
6. nieva / voy a esquiar
7. hace mucho calor (hace buen tiempo)
8. hace buen tiempo / estudio

7-5 Preguntas y respuestas.
(Answers will vary.)

1. Hace sol y hace fresco.
2. El día está ideal para caminar.
3. Voy a casa.
4. Bebo café cuando hace mucho frío.
5. Nado en el mar.
6. En mi ciudad nieva mucho.
7. Hace mucho frío en diciembre, enero y febrero.
8. Hace mucho calor en julio y agosto.

¡Así lo hacemos! Estructuras

1. Verbs with irregular preterit forms (I)

7-6 ¿Qué pasó?

1. fui / fue / fueron / fuimos
2. tuvimos / tuve / tuvieron / tuvimos / tuvo
3. di / dieron / dio / dimos
4. Hizo / hiciste / hicimos / hicieron / hice / hicieron
5. estuve / estuvieron / estuvimos / estuvo / estuvimos / estuviste

7-7 ¿Qué hiciste ayer?
(Answers will vary.)

1. hiciste / Hice la tarea de español.
2. fuiste / Fui al cine con mis amigos.
3. Tuviste / Sí, (No, no) tuve que comprar algo (nada).
4. Estuviste / Sí, (No, no) estuve en la biblioteca.
5. Diste / Sí, (No, no) di un paseo con alguien (nadie).

7-8 Muchas preguntas.
(Answers will vary.)

1. Fui a…
2. Mi profesor(a) favorito(a) fue el señor/ la señora/ la señorita…
3. Estuve en…
4. Sí, (No, no) tuve que hacer mucha tarea.
5. Le di…
6. Hice (Hicimos)…

<u>2. Indefinite and negative expressions</u>

7-9 Conversaciones.

1. ni / ni
2. algo / nada
3. algún / ninguno
4. algo / algún
5. alguien / nadie
6. algo / Siempre
7. Nunca / ningún

7-10 Ana y Paco riñen.

1. Yo siempre te llevo a la playa.
2. Yo siempre te doy algún regalo.
3. Yo te llevo a la discoteca y al cine.
4. Yo también te invito a dar un paseo.
5. Yo no quiero a nadie más que a ti.
6. Yo sí te quiero.

7-11 Más preguntas.
(Answers will vary)

1. Sí, (No, no) salgo siempre con mis amigos los fines de semana.
2. Sí, (No, no) voy a salir con alguien (nadie) este sábado.
3. Sí, (No, no) tengo que preparar algo (nada) para la clase.
4. Sí, (No, no) conozco a un (ningún) estudiante de Latinoamérica.
5. Sí, (No, no) sé preparar un (ningún) plato mexicano.
6. Sí, me gusta ver películas en español y en francés.

SEGUNDA PARTE

¡Así es la vida!

7-12 Los deportes.

1. F: María Ginebra juega al tenis en el verano.
2. F: Ella nada en el invierno.
3. C
4. F: Él es entrenador de un equipo de fútbol.
5. F: A Daniel no le caen bien los árbitros.
6. C
7. F: La temporada de la liga de béisbol puertorriqueña es en el invierno.
8. C
9. C
10. F: Ella conoció a un tenista.

¡Así lo decimos!

7-13 Algunos deportes.

1. raqueta / pelota (cancha) (de tenis)
2. bate / guante
3. balón (de básquetbol)
4. campo (de fútbol)
5. entrenador
6. aficionados
7. estrella
8. árbitro
9. equipo
10. empatan

7-14 Asociaciones.

1.	e	6.	d
2.	a	7.	g
3.	h	8.	c
4.	j	9.	f
5.	b	10.	i

7-15 Crucigrama.

Horizontales

1. EMPATAR
3. PELOTA
5. ENTRENADOR
7. GUANTES
10. EQUIPOS
12. GRITAR
13. BALONES
14. BATES
15. GANAR

Verticales

2. PATEAR
3. PATINES
4. CORRER
5. EQUIPO
6. BOXEO
8. ESTRELLA
9. JUGADA
11. BATEAR

7-16 ¿Te gustan los deportes?
(Answers will vary.)

1. Me gusta el básquetbol porque es interesante.
2. No me gusta la natación porque es aburrida.
3. Me gusta el ciclismo porque es rápido.
4. No me gusta el hockey porque es violento.
5. No me gusta el tenis de mesa porque es lento.
6. Me gusta el esquí porque es emocionante.

7-17 La Primera Liga de España.

1. Hay doce equipos en la liga.
2. Real Madrid tiene más partidos ganados.
3. Valencia ha empatado un partido.
4. Mallorca tiene más partidos perdidos.
5. Numancia, Levante y Málaga tienen el mismo número de puntos.
6. Sí, (No, no) me interesa el fútbol. Sí, (No, no) me gustaría ver un partido.
7. Sí, (No, no) tengo un equipo favorito. (Es….)

¡Así lo hacemos! Estructuras

3. Verbs with irregular preterit forms (II)

7-18 Una carta.

1.	fui	12.	jugó
2.	tuvimos	13.	bateó
3.	anduvimos	14.	gritaron
4.	pude	15.	animaron
5.	fuimos	16.	quise
6.	pudimos	17.	pude
7.	buscó	18.	vine
8.	conocí	19.	escribí
9.	fuimos	20.	dije
10.	vinieron	21.	gustó
11.	fue		

7-19 Algunas preguntas.
(Answers will vary.)

1. Sí, (No, no) pude terminar todas mis tareas.
2. Sí, (No, no) puse música.
3. Sí, (No, no) supe una (ninguna) noticia interesante.
4. Le dije “Buenos días”.
5. Vine a la universidad a las…
6. Traje los libros de…

4. Impersonal and passive *se*

7-20 El entrenador.

1. Se dice
2. se juega
3. se tiene
4. se mira
5. se estudian
6. se necesita
7. se toma
8. se lanza
9. se da

7-21 El/La experto/a.
(Answers may vary.)

1. Se necesita un guante y un bate.
2. Se usa una raqueta para jugar al tenis.
3. No, no se puede correr con el balón.
4. Se juega con un balón.
5. Se usan guantes.
6. Se tiene que jugar bien.
7. Se puede gritar.
8. Se debe ser un/a buen/a jugador/a.

NUESTRO MUNDO

7-22 Las islas hispánicas del Caribe.

1. c
2. a
3. c
4. a
5. b
6. b

7-23 La investigación.
(Answers will vary.)

TALLER

7-24 El fin de semana pasado.
(Answers will vary.)

7-25 Los canadienses y los deportes.
(Answers will vary.)

¿CUÁNTO SABES TÚ?

7-26 Los verbos irregulares.

1. dimos
2. fueron
3. hicimos
4. hizo
5. tuve
6. estuvieron
7. tuvo
8. estuvo
9. Fuiste

7-27 Más verbos irregulares.

1. supo / fue
2. pusiste
3. Hubo / pude
4. conocieron / estuvieron / Fue

7-28 Las expresiones indefinidas y negativas.

1. c
2. a
3. d
4. c
5. a

7-29 "El Batazo".

1. Se dice
2. se sabe
3. se habla
4. se come
5. se puede
6. se traen
7. se abre
8. se cierra

LECCIÓN 8 ¿En qué puedo servirle?

PRIMERA PARTE

¡Así es la vida!

8-1 De compras.

1. van de compras
2. en el tercer piso
3. no quiso dársela
4. no usar más las tarjetas de crédito
5. la tarjeta de su papá
6. en tres horas en la entrada principal
7. para buscar una chaqueta y unas camisas
8. en el tercer piso / aquí
9. cuarenta
10. le queda muy bien (cuesta solamente 50 soles)

¡Así lo decimos!

8-2 La ropa.

1. abrigo (suéter)
2. gorra (camiseta)
3. mostrador
4. bolsa
5. talla
6. impermeable
7. botas
8. manga corta
9. tela
10. rebaja

8-3 ¿Qué ropa llevas?
(Answers will vary.)

1. llevo un vestido azul, una chaqueta blanca y zapatos negros
2. llevo vaqueros, una camiseta y zapatos deportivos blancos
3. llevo vaqueros, una camisa y zapatos deportivos
4. llevo un suéter, un abrigo y botas negras
5. llevo pantalones cortos de algodón, una blusa de manga corta y sandalias

8-4 El/La cliente/a responde.
(Answers will vary.)

1. Busco unos pantalones negros.
2. Es la ocho.
3. Sí, gracias.
4. Necesito una camisa de manga larga también.
5. Deseo pagar con tarjeta de crédito.

8-5 El/La cliente/a pregunta.
(Answers will vary.)

1. Dónde está la sección de ropa de mujeres
2. Dónde están las blusas en rebaja
3. Puedo probarme las blusas
4. Qué tal me queda
5. No me queda grande

¡Así lo hacemos! Estructuras

1. The preterit of stem-changing verbs: *e → i* and *o → u*

8-6 ¿Qué pasó en el centro comercial?

1. seguí / siguieron
2. prefirió / preferimos
3. repetiste / repitió
4. sirvió / serví
5. pedí / pidió

8-7 Muchas preguntas.
(Answers will vary.)

1. Sí, nos pidió una tarea. / No, no nos pidió nada.
2. Preferimos…
3. Sí, (No, no) nos reímos mucho.
4. Me sirvieron…
5. Él/Ella durmió…

2. Ordinal numbers

8-8 Números, números.

1.	quinta	6.	séptimo
2.	cuarto	7.	sexto
3.	octavo	8.	tercera
4.	novena	9.	décimo
5.	segundo	10.	primer

8-9¿Dónde está?

1.	segunda planta	7.	sexta planta
2.	sexta planta	8.	séptima planta
3.	planta baja	9.	cuarta planta
4.	tercera planta	10.	tercera planta
5.	quinta planta		
6.	sótano		

3. Demonstrative adjectives and pronouns

8-10 De compras.

1. estas
2. esos
3. aquellos
4. ese
5. estas

8-11 ¿Qué prefieres?

1. Prefiero esta falda, no ésa.
2. Prefiero ese traje, no aquél.
3. Prefiero esos calcetines, no aquéllos.
4. Prefiero este vestido, no ése.
5. Prefiero ese abrigo, no aquél.
6. Prefiero esa bolsa, no aquélla.

8-12 ¿Qué pregunta el dependiente?

1. ¿Desea probarse esta blusa? / No, gracias. Prefiero probarme ese saco.
2. ¿Desea probarse esta chaqueta? / No, gracias. Prefiero probarme esos suéteres.
3. ¿Desea probarse estos guantes? / No, gracias. Prefiero probarme esos gorros.
4. ¿Desea probarse estas camisetas? / No, gracias. Prefiero probarme esos pantalones cortos.
5. ¿Desea probarse estas botas? / No gracias, prefiero probarme esas sandalias.
6. ¿Desea probarse este impermeable? / No, gracias. Prefiero probarme ese vestido.

SEGUNDA PARTE

¡Así es la vida!

8-13 ¿Qué compraste?

1. Ella está viendo sus compras.
2. Lucía la llama por teléfono.
3. La llamó tres veces.
4. Fue de compras al centro.
5. Compró un vestido rojo.
6. Le compró un llavero de plata a su novio Gustavo.
7. Fue a la perfumería para comprarle una loción de afeitar a su papá y un perfume a su mamá.
8. El artículo más caro que compró fue el vestido.
9. Ella pagó al contado.
10. Necesita un vestido elegante para la fiesta de los padres de Gustavo.

¡Así lo decimos!

8-14 ¿Qué compras en estas tiendas?

1.	d	6.	a
2.	g	7.	a
3.	c	8.	e
4.	b	9.	b
5.	f		

8-15 Unos regalos.
(Answers will vary.)

1. les compro pulseras de plata
2. le compro un anillo de oro
3. le compro una camisa de algodón
4. le compro una colonia
5. le compro un bolígrafo
6. le compro un cinturón

¡Así lo hacemos! Estructuras

4. Comparisons of equality and inequality

8-16 Los centros comerciales.

1. tantas
2. tan
3. tan / como
4. tantos / como
5. tan / como
6. tan / como
7. tanto como

8-17 Las hermanas.

1. Cristina tiene tantos amigos como Rosa.
2. Cristina habla tanto como Rosa.
3. Cristina es tan responsable como Rosa.
4. Cristina tiene tanta paciencia como Rosa.
5. Cristina se enamora tanto como Rosa.
6. Cristina es tan simpática como Rosa.
7. Cristina es tan bonita como Rosa.
8. Cristina tiene tanta ropa como Rosa.

8-18 Más comparaciones.

1. es más roja que mi cartera
2. es más hermoso que nuestros anillos
3. son más atractivas que mi corbata
4. son peores que nuestros calcetines
5. son mejores que nuestros zapatos.
6. es más bonita que mi cadena
7. es más joven (menor) que el dependiente
8. es más grande que el mostrador
9. es más pequeño que el saco y la chaqueta
10. son más elegantes que sus pantalones

8-19 Mi hermana y yo.
(Answers will vary.)

5. Superlatives

8-20 ¡A escoger!

1.	b	5.	c
2.	c	6.	b
3.	a	7.	b
4.	b	8.	c

8-21 Paco y Jorge.

1. mejores que tus guantes / los mejores guantes del almacén.
2. mejores que tus abrigos / los mejores abrigos de la tienda.
3. más hermoso que tu reloj / el reloj más hermoso de todos los relojes.
4. más elegantes que tus joyas / las joyas más elegantes del mundo.
5. más popular que tu chaqueta / la chaqueta más popular de todo el país.

8-22 Preguntas personales.
(Answers will vary.)

1. Mis hermanas son mayores que yo.
2. Mi hermano es menor que yo.
3. La persona mayor de mi familia es mi abuelo.
4. El mejor de mis amigos se llama...
5. La ropa más elegante que tengo es…
6. El peor restaurante de la ciudad es…
7. La clase más interesante que tomo es....
8. El/La estudiante más inteligente de la clase es...

NUESTRO MUNDO

8-23 El reino inca.

1.	F	6.	F
2.	C	7.	C
3.	C	8.	F
4.	F	9.	C
5.	C	10.	F

8-24 La investigación.
(Answers will vary.)

TALLER

8-25 De compras.
(Answers will vary.)

8-26 En el Perú y el Ecuador.
(Answers will vary.)

¿CUÁNTO SABES TÚ?

8-27 Los verbos irregulares.

1. sirvió
2. preferimos
3. sonrieron
4. pidió
5. sintieron
6. mintió
7. repitieron
8. dormimos

8-28 Los números ordinales.

1.	d	5.	a
2.	g	6.	e
3.	b	7.	c
4.	f		

8-29 Los adjetivos y pronombres demostrativos.

1. c
2. b
3. d
4. d
5. a
6. c

8-30 Las comparaciones.

1. mejor
2. mayor
3. más
4. más
5. menos
6. mejor

LECCIÓN 9 Vamos de viaje

PRIMERA PARTE

¡Así es la vida!

9-1 Un viaje.

1. venezolana
2. tomarse unas vacaciones
3. una amiga de Susana que trabaja en la agencia de viajes
4. corriendo de un lado a otro
5. regresar a Cancún / el hotel donde se quedaron el año pasado era muy bueno
6. había muchos turistas
7. un folleto / un viaje de una semana a Colombia
8. pasaje de ida y vuelta, hospedaje, comida y excursiones / 506.000 bolívares por persona
9. ir a Colombia
10. la sala de espera de AVIANCA
11. la voz del agente
12. San Andrés
13. dentro del avión
14. abrocharse los cinturones de seguridad

¡Así lo decimos!

9-2 Asociaciones.

1.	f	5.	d
2.	a	6.	g
3.	h	7.	b
4.	c	8.	e

9-3 De viaje.

1.	a	6.	a
2.	c	7.	c
3.	b	8.	b
4.	b	9.	c
5.	c	10.	a

9-4 Cuestionario.
(Answers will vary.)

1. Prefiero sentarme al lado de la ventanilla porque me gusta ver todo.
2. Sí, (No, no) la compro en una agencia de viajes. (La compro…)
3. En mi equipaje de mano pongo…
4. Facturo mi maleta y llevo el equipaje de mano porque es más cómodo.
5. Me siento en la sala de espera y leo.

¡Así lo hacemos! Estructuras

1. The imperfect of regular and irregular verbs

9-5 ¿Qué hacían?

1.	e	5.	c
2.	a	6.	f
3.	h	7.	d
4.	g	8.	b

9-6 Los recuerdos de la aeromoza.

1. trabajaba
2. llegábamos
3. conversábamos
4. subíamos
5. salía
6. anunciaba
7. atendíamos
8. mostrábamos
9. se abrochaban
10. se ponían
11. volábamos
12. servíamos
13. aterrizaba
14. ayudábamos
15. deseábamos

9-7 Recuerdos de nuestras profesiones.

1. era / era / eran / era / éramos
2. iba / iban / iban / íbamos
3. veía / veían / veía / veía / veíamos

9-8 Cuestionario.
(Answers will vary.)

1. Íbamos a…
2. Volábamos (Íbamos en coche.)
3. Pasábamos….
4. Sí, (No, no) los veía.
5. Me gustaba…

2. *Por* or *para*

9-9 ¡A completar!

1.	por	6.	por
2.	Para	7.	por
3.	por	8.	para
4.	por	9.	para
5.	para	10.	por

9-10 Decisiones.

1.	para	8.	Por
2.	para	9.	Para
3.	por	10.	por
4.	por	11.	para
5.	Para	12.	para
6.	Para	13.	para
7.	Por		

9-11 Actividades durante las vacaciones.

1.	para	8.	por
2.	por	9.	por
3.	por	10.	por
4.	por	11.	por
5.	para	12.	Para
6.	Por	13.	para
7.	por	14.	para

9-12 Tu viaje.
(Answers will vary.)

1. Salí para…
2. Viajé por avión (coche).
3. Fui por…
4. Sí, (No, no) pagué mucho.
5. Sí, compré un regalo para alguien. (No, no compré un regalo para nadie.)

SEGUNDA PARTE

¡Así es la vida!

9-13 Una carta.

1. Ellos acaban de regresar de Colombia. Lo pasaron maravillosamente bien.
2. Estuvieron en San Andrés por tres días.
3. Era un hotel grande, muy moderno y hermoso. Los trataron como a reyes.
4. Ellos hacían esquí acuático y buceaban. También nadaban en una pequeña piscina natural.
5. Ellos recorrieron la isla en bicicleta con una pareja que conocieron en el hotel.
6. El hotel de Cartagena era más antiguo y menos cómodo que el hotel de San Andrés.
7. Ellos visitaron varios sitios de interés como el Convento de San Pedro de Claver, el Palacio de la Inquisición, el Teatro Heredia y otros.
8. Él salía a caminar por el jardín y le traía flores a Susana.

¡Así lo decimos!

9-14 ¡A completar!

1.	gafas de sol	7.	vista
2.	mapa	8.	botones
3.	flores	9.	pescar (bucear)
4.	estadía	10.	montar
5.	rollo de película	11.	isla
6.	bosque	12.	río

¡Así lo hacemos! Estructuras

3. Preterit vs. imperfect

9-15 Ayer fue un día diferente.

1. nadaba / nadó
2. se quedaban / se quedaron
3. buceábamos / buceamos
4. montaban a caballo / montaron a caballo
5. exploraba / exploré
6. pedía / pedí
7. dormía / dormí
8. íbamos / fuimos

9-16 Las vacaciones.

1.	iban	6.	cantaban / tocaba
2.	exploraba		
3.	nadábamos	7.	hicimos
4.	leía / dormía	8.	se fueron / Fue
5.	se despertaron / pudieron		

9-17 El verano.

1.	iba	9.	escuchó
2.	hacíamos	10.	venía
3.	montábamos	11.	corrimos
4.	tocaba	12.	había
5.	cantábamos	13.	descubrimos
6.	salíamos	14.	tomamos
7.	jugábamos	15.	regresamos
8.	nadábamos	16.	estábamos

9-18 Más preguntas.
(Answers will vary.)

1. Pasé las vacaciones en…
2. Era muy bonito.
3. Hacía buen tiempo.
4. Sí, (No, no) visité algunos sitios (ningún sitio) interesante(s).
5. Todos los días, yo…
   Una vez yo…

4. Adverbs ending in *-mente*

9-19 ¿Cómo hacen su trabajo estas personas?
(Answers may vary.)

1. alegremente
2. rápidamente
3. elegantemente
4. Generalmente / solamente
5. lentamente
6. claramente
7. cuidadosamente

9-20 ¿Cómo lo haces?
(Answers will vary.)

1. cuidadosamente
2. rápidamente
3. elegantemente
4. fácilmente
5. frecuentemente
6. lentamente
7. difícilmente
8. maravillosamente

NUESTRO MUNDO

9-21 Los países caribeños de Suramérica.

1. C
2. F
3. C
4. F
5. F
6. C
7. F
8. F
9. C
10. F

9-22 La investigación.
(Answers will vary.)

TALLER

9-23 Un viaje desastroso.
(Answers will vary.)

9-24 Las vacaciones y los viajes.
(Answers will vary.)

¿CUÁNTO SABES TÚ?

9-25 El imperfecto.

1. compraba
2. pedían
3. sabía
4. facturábamos
5. jugaban
6. leía
7. escribía
8. servía
9. dormía
10. se reían

9-26 *Por y para.*

1. por
2. para
3. por
4. para
5. para
6. por

9-27 El pretérito y el imperfecto.

1. Había
2. se llamaba
3. decían
4. era
5. iba
6. quedaba
7. conoció
8. tenían
9. se llamaba
10. era
11. decían
12. comenzaron
13. empezaron
14. caminaban
15. montaban
16. pescaban
17. gustaba
18. sabía
19. caminaban
20. cantó
21. dijo
22. quería
23. dio
24. eran
25. se puso
26. dio
27. se enamoró
28. se casaron
29. tuvieron
30. vivieron

9-28 Los adverbios.

1. inmediatamente
2. tranquilamente
3. rápidamente
4. amablemente
5. cuidadosamente
6. lentamente

LECCIÓN 10 ¡Tu salud es lo primero!

PRIMERA PARTE

¡Así es la vida!

10-1 ¡Qué mal me siento!

1. se siente (muy) mal
2. al médico
3. doctor Estrada
4. la garganta, el pecho y el estómago
5. bronquitis
6. a la penicilina
7. cada seis horas
8. hacerle un examen físico

¡Así lo decimos!

10-2 ¡A completar!

1. tomarse la temperatura
2. diagnóstico
3. radiografía
4. receta
5. dolor de cabeza
6. tenía náuseas
7. se torció el tobillo
8. boca
9. sangre
10. los pulmones

10-3 ¿Qué me recomienda usted?
(Answers may vary.)

1. Tome este antibiótico por diez días.
2. Tome este jarabe para la tos.
3. Vaya al hospital para una radiografía.
4. Tome dos aspirinas y llámeme por la mañana.
5. Tome muchos líquidos y guarde cama.
6. Deje de fumar.
8. Tome un antiácido.

10-4 El cuerpo.

1. el pie
2. la pierna
3. la oreja
4. el pecho
5. la cabeza
6. la cara
7. la garganta
8. el brazo
9. la mano
10. el dedo (de la mano)
11. el corazón
12. la nariz
13. la rodilla

¡Así lo hacemos! Estructuras

<u>1. The Spanish subjunctive: an introduction and the subjunctive in noun clauses</u>

10-5 ¡A practicar!

1. caminemos / bebamos / escribamos
2. hagan / oigan / traigan
3. conozca / duerma / me siente
4. lleguen / sigan / saquen
5. te sientas / busques / seas
6. dé / venga / esté
7. lea / se levante / salga
8. devuelva / vaya / diga

10-6 Unas recomendaciones.

1. fume / respire / guarde / saque
2. vayas / hagas / traigas / estés
3. paguemos / hablemos / vengamos / lleguemos
4. saque / me tome / compre / le dé
5. tengan / se enfermen / se rompan / tosan

10-7 Mamá está enferma.

1. que Rogelio vaya a la farmacia.
2. que Ernesto y Carlos busquen las pastillas.
3. que nosotros compremos el jarabe.
4. que yo atienda a mamá.
5. que tú bañes a Anita.
6. que Ramiro le haga una cita a mamá con el médico.
7. que Paula y yo cocinemos hoy.
8. que papá salga temprano y compre los antibióticos.

2. The *nosotros* commands

10-8 El profesor de medicina.

1.	Tratemos	5.	Consultemos
2.	Hablemos	6.	recetemos
3.	Vamos	7.	Vengamos
4.	Estudiemos	8.	Pongamos

10-9 En el hospital.

1. Sí, visitémoslos ahora.
2. Sí, estudiémoslos.
3. Sí, escribámosla.
4. Sí, leámoslo.
5. Sí, busquémoslo.

10-10 El interno.

1. Sí, leámosla. / No, no la leamos.
2. Sí, veámoslo. / No, no lo veamos.
3. Sí, consigámoslas. / No, no las consigamos.
4. Sí, pidámosela. / No, no se la pidamos.
5. Sí, recetémoslos. / No, no los recetemos.
6. Sí, pongámoselas. / No, no se las pongamos.
7. Sí, repitámoselo. / No, no se lo repitamos.
8. Sí, operémoslo. / No, no lo operemos.

SEGUNDA PARTE

¡Así es la vida!

10-11 Mejora tu salud.

1. Es importante vigilar la alimentación para mantener un buen estado de salud.
2. Las enfermedades del corazón cobran vidas.
3. Se puede reducir el riesgo con cambios en la dieta.
4. Se deben evitar los alimentos con colesterol o con alto contenido de grasa.
5. Son buenos los alimentos ricos en fibra, como las frutas y verduras, y también pan y cereales integrales.
6. Contribuyen a la buena salud, el peso adecuado, el ejercicio y el control de los niveles de glucosa.

¡Así lo decimos!

10-12 ¡A escoger!

1.	b	5.	a
2.	c	6.	b
3.	c	7.	a
4.	b	8.	b

10-13 Cuestionario.
(Answers will vary.)

1. Corro y hago ejercicios aeróbicos.
2. Quiero adelgazar.
3. Sí, necesito ponerme en forma.
4. Levanto pesas y corro.
5. Sí, la vigilo. Siempre como alimentos saludables.
6. Generalmente, como muchas frutas y verduras.

¡Así lo hacemos! Estructuras

3. The subjunctive to express volition

10-14 En el consultorio del médico.

1. duerma / beba / haga / corra / nade / baile
2. hable / pague / pida / llame
3. nos levantemos / nos acostemos / trabajemos / empecemos / comamos / durmamos

10-15 Consejos.
(Answers may vary.)

1. hagas ejercicios aeróbicos
2. te pongas a dieta
3. hagas jogging
4. deje de fumar y que beba menos
5. lo hagas

10-16 Una vida saludable.

1.	participemos	10.	continuar
2.	estemos	11.	nos toquemos
3.	nos enfermemos	12.	levantemos
4.	es	13.	bajemos
5.	podemos	14.	respirar
6.	hagamos	15.	veamos
7.	empezar	16.	practicar
8.	corramos	17.	sentirnos
9.	hagamos		

10-17 Recomendaciones.
(Answers will vary.)

1. no fumes
2. comas alimentos con grasas
3. evites el estrés
4. te pongas a dieta inmediatamente
5. bebas bebidas alcohólicas
6. hagan ejercicios todos los días
7. duerman ocho horas al día
8. sigan mis consejos

4. The subjunctive to express feelings and emotion

10-18 En el gimnasio.

1. Me enojo que tú no te cuides mejor.
2. ¿Temes tú que haya mucha grasa en el chocolate?
3. Nosotros sentimos que tú no puedas ir al gimnasio esta tarde.
4. ¿Lamentan ustedes que el club no esté abierto?
5. Mis amigos esperan que yo haga ejercicio con ellos.
6. Pablo está contento (de) que nosotros levantemos pesas hoy.
7. El atleta se sorprende de que ellos fumen después de correr.
8. El entrenador insiste que todos nosotros participemos.
9. ¿Se alegra usted (de) que yo me mantenga en forma?
10. Me sorprende que tú estés a dieta.

10-19 La vida de Luis.

1.	estudie	9.	tienen
2.	ser	10.	quieren
3.	estudiar	11.	esté
4.	quiere	12.	es
5.	sea	13.	vaya
6.	tienen	14.	comprendan
7.	se divierta	15.	respeten
8.	trabaje		

10-20 Tu familia y tu salud.
(Answers will vary.)

NUESTRO MUNDO

10-21 Países sin mar.

1.	c	6.	a
2.	c	7.	a
3.	b	8.	a
4.	b	9.	b
5.	b	10.	c

10-22 La investigación.
(Answers will vary.)

TALLER

10-23 Nuestra salud este mes.
(Answers will vary.)

10-24 La medicina en el altiplano.
(Answers will vary.)

¿CUÁNTO SABES TÚ?

10-25 Recomendaciones.

1.	f	5.	b
2.	a	6.	c
3.	h	7.	e
4.	g	8.	d

10-26 El presente de subjuntivo I.

1.	puedan	6.	busque
2.	pasemos	7.	pregunte
3.	hagamos	8.	nos sintamos
4.	practicar	9.	regresemos
5.	hacer		

10-27 Los mandatos.

1. Operemos
2. Dejemos
3. Hagamos
4. Descansemos

10-28 El presente de subjuntivo II.

1.	esté	5.	hacer
2.	guarde	6.	se mejore
3.	tome	7.	pueda
4.	siga		

LECCIÓN 11 ¿Para qué profesión te preparas?

PRIMERA PARTE

¡Así es la vida!

11-1 Los trabajadores.

1. abogada / Centro Comercial Houssay / dos mil seiscientos noventa y nueve / cinco, cuatro, uno, dos, siete, siete, cinco, cinco, seis, uno
2. ingeniero industrial / Edificio Díaz de Solís / Uruguay
3. analista de sistemas / Avenida Fernández Juncos / San Juan, Puerto Rico
4. contable y asesora financiera / Plaza Letamendi cincuenta y cuatro / España / nueve, tres, ocho, nueve, dos, cinco, seis, uno, dos / ocho, nueve, dos, seis, siete, cero, nueve
5. psicóloga clínica / Hospital del Instituto Nacional de la Salud / Distrito Federal

¡Así lo decimos!

11-2 Las profesiones.

1. arquitecta
2. fontanero (plomero)
3. bomberos
4. ingeniero
5. psicóloga
6. dentista

11-3 Palabras relacionadas.

1. e
2. a
3. b
4. d
5. f
6. c

11-4 ¿Qué profesión me recomiendas?

1. veterinaria
2. carpintero
3. peluquero
4. cocinera
5. contable (contadora)
6. secretario
7. mujer mecánico
8. periodista

11-5 Los clasificados.

1. vendedores(as) / cajeros(as)
2. dieciocho años / durante el horario de tienda (10:00 a.m. a 8:00 p.m. de lunes a sábado)
3. tiempo completo
4. desarrollo profesional
5. referencias personales

¡Así lo hacemos! Estructuras

1. The subjunctive to express doubt, uncertainty, or denial

11-6 Unas opiniones negativas.

1. sea
2. repare
3. vaya
4. consiga
5. tengan
6. sepa
7. vendan
8. trabajen
9. piense

11-7 Tu opinión.
(Answers may vary.)

1. Dudo que a él le caiga bien ese viajante.
2. No estoy seguro/a de que un gerente siempre diga la verdad.
3. No es cierto que nosotros nos pongamos a jugar en el trabajo.
4. No creo que haya mucho desempleo en el Canadá.
5. No estoy seguro/a de que las vendedoras siempre trabajen a comisión.
6. Dudo que Pedro Manuel sea el mejor empleado de nuestra compañía.
7. Niego que esa intérprete sepa español.
8. No es cierto que todos nosotros siempre leamos el horario de trabajo.
9. No creo que los psicólogos ayuden a sus pacientes.
10. Dudo que ese arquitecto diseñe carros.

11-8 Preguntas personales.
(Answers will vary.)

1. No, no creo que haya mucho desempleo en el Canadá.
2. Sí, creo que es importante ser bilingüe para conseguir un puesto porque en muchos puestos ser bilingüe es una necesidad.
3. Sí, es cierto que una persona siempre debe de tener una meta porque con una meta todo es más fácil.
4. Sí, creo que ser ingeniero es muy difícil porque los ingenieros siempre están muy ocupados.
5. No, no creo que todos los abogados siempre digan la verdad porque algunos de ellos sólo piensan en el dinero.
6. Sí, creo que es necesario saber de informática para conseguir un buen empleo hoy porque muchos trabajos requieren el uso de las computadoras.

2. The subjunctive with impersonal expressions

11-9 ¡A completar!

1. tiene
2. sean
3. apaguen
4. haya
5. diseña
6. esté
7. suba
8. venga
9. hacer
10. consigan
11. trabajar
12. conozcan
13. saber
14. den
15. conversen
16. llegar
17. reparo
18. venda
19. saquen
20. estudian

11-10 La despedida de Miguel.

1. pasa
2. ocurre
3. quiere
4. es
5. digas
6. seas
7. llamemos
8. escuche
9. hables
10. conoces
11. eres
12. esté
13. eres
14. quieres
15. hables
16. digas
17. tenemos

11-11 Entrevista.

(Answers will vary.)

1. Es importante saber dos idiomas.
2. Es indispensable tener buenos empleados.
3. Es necesario ser inteligente.
4. En un buen empleado es evidente su interés y cooperación.
5. Sí, es cierto, porque pueden hablar dos idiomas y ayudar más a la compañía.

SEGUNDA PARTE

¡Así es la vida!

11-12 En busca de empleo.

1. una chica argentina (que se graduó de la universidad)
2. quiere conseguir un puesto como analista de sistemas
3. informática / contabilidad
4. (una persona) entusiasta, responsable y trabajadora
5. su currículum vitae
6. el gerente de la compañía
7. todo el mundo dice que es una gran empresa que se interesa por el bienestar de sus empleados
8. cuál es el sueldo
9. experiencia / buenas recomendaciones

¡Así lo decimos!

11-13 La carta de presentación.

1. Estimada
2. vacante
3. experiencia práctica
4. calificaciones
5. currículum vitae
6. recomendación
7. solicitud de empleo
8. referencia
9. capaz
10. honrado
11. la saluda atentamente

11-14 ¿Qué haces?

(Answers will vary.)

1. Me visto bien y llego a la entrevista temprano.
2. Hablo con él.
3. Trato de convencerlo de que necesito ascender.
4. Le digo: "Felicitaciones".
5. Les compro un regalo a mis padres.
6. Le ayudo a encontrar otro puesto.
7. Hablo con el gerente de la compañía.
8. Me pongo muy contento/a.

¡Así lo hacemos! Estructuras

3. The past participle and the present perfect indicative

11-15 Hay muchas cosas que hacer.

1. Nosotros hemos establecido un plan de retiro.
2. La gerente ha firmado el contrato.
3. Yo he escrito una carta de recomendación.
4. Felipe ha comprado un seguro de vida.
5. Mis amigos han ido al despacho.
6. Yo he visto al aspirante.
7. Tú has cubierto la vacante.
8. Nosotros hemos vuelto de la agencia de empleos.

11-16 ¿Lo has hecho?

1. Sí, la he firmado.
2. Sí, (nuestros empleados) lo han recibido.
3. Sí, la he rellenado.
4. Sí, lo he contratado.
5. Sí, hemos dejado de trabajar.

11-17 ¡Ya está!

1.	cubierto	6.	hecho
2.	contratados	7.	resuelto
3.	abierta	8.	puestos
4.	escritas	9.	perdido
5.	preparados	10.	ocupada

11-18 En la empresa.

1. Se la he dado. Ya está dada.
2. Se lo he escrito. Ya está escrito.
3. Se lo he rellenado. Ya está rellenado.
4. Se lo he revisado. Ya está revisado.
5. Se las he cambiado. Ya están cambiadas.

4. The present perfect subjunctive

11-19 Mi amiga Olga.

1. el gerente haya hecho las evaluaciones hoy.
2. el jefe haya estado en la oficina hoy.
3. el jefe ya haya revisado los expedientes.
4. él haya conseguido trabajo.
5. los otros empleados hayan preparado el formulario.
6. ellos le hayan escrito la carta a la supervisora.
7. ellos hayan enviado la solicitud de empleo.
8. Sandra haya rellenado el formulario.

11-20 En la compañía.

1. Tú esperas que el empleado haya hecho bien las cuentas.
2. Nosotros dudamos que la aspirante haya tomado el examen.
3. La directora espera que nosotros hayamos traído los formularios.
4. Los gerentes no creen que yo haya dicho esas cosas.
5. La supervisora no cree que tú hayas puesto el mensaje en el despacho.
6. Ustedes temen que el gerente haya oído sus comentarios.
7. Ellos esperan que la jefa les haya dado un aumento.
8. Nosotros no estamos seguros de que usted haya tenido seguro médico.
9. El jefe se alegra de que nosotros hayamos limpiado el despacho.
10. Yo espero que tú y tu hermano hayan conseguido más clientes.

11-21 ¡A completar!

1.	han sido	6.	hayan buscado
2.	haya ayudado	7.	han sido
3.	hayan cambiado	8.	han bajado
4.	han vendido	9.	ha resuelto
5.	han recibido	10.	haya tenido

NUESTRO MUNDO

11-22 El Virreinato del Río de la Plata.

1.	C	6.	C
2.	F	7.	F
3.	C	8.	F
4.	F	9.	F
5.	F	10.	C

11-23 La investigación.
(Answers will vary.)

11-24 El gaucho: un oficio temprano.
(Answers will vary.)

TALLER

11-25 Las carreras.
(Answers will vary.)

11-26 Acuerdos.
(Answers will vary.)

¿CUÁNTO SABES TÚ?

11-27 El uso del subjuntivo.

1. creo / comiences
2. niegan / consiga
3. dudamos / tienen
4. dudas / salgamos
5. piensa / llegues
6. crees / trabaja

11-28 Las expresiones impersonales.

1.	hablar	6.	conozca
2.	mires	7.	sean
3.	consigas	8.	dé
4.	lean	9.	digan
5.	sepamos	10.	trabajemos

11-29 El presente perfecto.

1. ha estudiado
2. Has visto
3. hemos terminado
4. Ha tomado
5. han escrito / han hecho

11-30 El presente perfecto de subjuntivo.

1. ha conocido
2. hayan dado
3. hayan llegado
4. hayan estado
5. hayan vuelto
6. han rellenado
7. haya contratado

LECCIÓN 12 El futuro es tuyo

PRIMERA PARTE

¡Así es la vida!

12-1 El impacto de la tecnología.

1. la tecnología (las computadoras, los aparatos electrónicos y los nuevos medios de comunicación)
2. estudiante de ingeniería
3. sus trabajos y asuntos personales
4. hoja electrónica / impresora
5. el correo electrónico
6. a máquina / un procesador de textos / la fotocopiadora
7. el fax y el correo electrónico
8. agricultor
9. su (una) finca
10. analizar el clima y los suelos
11. determinar el mejor momento para recoger la cosecha
12. mejore el estándar de vida de los pobres del mundo

¡Así lo decimos!

12-2 Palabras relacionadas.

1.	f	5.	d
2.	g	6.	h
3.	b	7.	a
4.	c	8.	e

12-3 ¡A completar!

1. cajero automático
2. contestador automático / grabar
3. teléfono inalámbrico
4. antena parabólica
5. cosecha
6. hoja electrónica
7. videograbadora
8. finca
9. discos compactos
10. pantalla

12-4 La computadora y sus accesorios.
(Sentences will vary.)

1. la impresora: La impresora que tengo es nueva.
2. la computadora: Tengo una computadora en la oficina y otra en casa.
3. el teclado: Hay muchas letras en el teclado de mi computadora.
4. la pantalla: La pantalla de mi computadora es verde.
5. el disquete: Temo que mi hermano haya borrado la información del disquete.
6. la hoja electrónica: Voy a darle la información que está en la hoja electrónica a la supervisora.

12-5 El altar de la tecnología.

1. Se venden computadoras, impresoras y otros equipos electrónicos.
2. Se puede convertir la computadora en una más potente.
3. Visitando la estación multimedia se puede recibir un regalo.
4. La tienda ofrece garantía de dos años, financiación hasta cuarenta y ocho meses y servicio técnico integral.
5. La tienda se llama El altar de la Tecnología; su número de teléfono es el dos, uno, dos, cinco, cinco, cinco, treinta y cuatro, treinta y cuatro, o diez, diez.

¡Así lo hacemos! Estructuras

1. The future and future perfect tenses

12-6 En el centro de cómputo.

1.	hará	6.	leeremos
2.	imprimirá	7.	vendrán
3.	instalarán	8.	darán
4.	pondrás	9.	archivarán
5.	miraremos		

12-7 En la oficina.

1.	escribirá	6.	usaré
2.	pondrán	7.	buscarán
3.	dirá	8.	se comunicará
4.	leerá	9.	veremos
5.	sacarán / sacaréis	10.	prepararemos

12-8 Conjeturas.
(Answers will vary.)

1. Será alguien con mucha experiencia.
2. Él/Ella será muy trabajador/a y responsable.
3. Vendrá de Ontario.
4. Tendrá planes de usar más tecnología.
5. Hará evaluaciones y dará aumentos de sueldos.

12-9 La nueva jefa.

1.	habremos llegado	6.	habrá escrito
2.	habrá hecho	7.	habrán recibido
3.	habrás traído	8.	habrán almorzado
4.	habrá llamado	9.	habrás copiado
5.	habrán puesto	10.	habrán salido

12-10 ¡A completar!

1. Habrán aprendido / habremos enviado
2. Habrás archivado / habré tenido
3. Habrá escrito / habré hecho
4. Habrán instalado / habrán terminado
5. Habrán podido / habrán recogido

2. The subjunctive with *ojalá, tal vez,* and *quizás*

12-11 La situación en la empresa.

1. Tal vez la fotocopiadora funcione bien.
2. Ojalá que los programas estén en buenas condiciones.
3. Quizás la impresora sea excelente.
4. Ojalá que el fax llegue temprano.

5. Quizás la computadora no borre la información.
6. Tal vez las hojas electrónicas tengan todas las cuentas.
7. Ojalá que todos los empleados vean el programa.
8. Tal vez la videograbadora y los discos compactos lleguen hoy.
9. Quizás la empleada recoja el fax.
10. Ojalá que todos tengan una calculadora.

12-12 ¿Qué esperas?
(Answers will vary.)

1. Ojalá que consiga un buen trabajo.
2. Ojalá que podamos usar mas tecnología.
3. Ojalá que mi novia/a aprenda español.
4. Ojalá que mis abuelos vengan a vistarme.
5. Ojalá que nosotros vayamos de vacaciones.
6. Ojalá que el/la profesor/a nos dé buenas notas

SEGUNDA PARTE

¡Así es la vida!

12-13 Hablan los jóvenes.

1. F: Entre los jóvenes de Hispanoamérica hay una gran preocupación por el medio ambiente.
2. F: En Hispanoamérica hay desarrollo industrial.
3. F: Los gobiernos no se han preocupado mucho por proteger los recursos naturales.
4. F. El gran problema de la Ciudad de México es el de la contaminación del aire.
5. C
6. F: Respirar el aire de la Ciudad de México equivale a fumar un paquete de cigarrillos diario.
7. C
8. F: El cólera en algunos países ha tomado proporciones epidémicas.
9. C
10. C
11. C
12. F: Sólo un diez por ciento del país está cubierto de bosques tropicales.
13. C
14. F: El gobierno costarricense no controla estrictamente el desarrollo industrial.

¡Así lo decimos!

12-14 Palabras relacionadas.

1.	c	5.	h
2.	e	6.	d
3.	a	7.	b
4.	g	8.	f

12-15 ¡A completar!

1. reciclaje
2. multa
3. naturaleza
4. escasez
5. consumir / conservar
6. reforestación
7. radioactividad
8. emprender
9. dispuestos
10. medida

12-16 Cuestionario.
(Answers will vary.)

1. La contaminación del aire es el problema más serio que afecta al medio ambiente.
2. Hay que tomar medidas muy serias contra las fábricas que contaminan la atmósfera.
3. Hay que ponerles una multa a los responsables de la deforestación.

4. Prefiero desarrollar la energía solar porque no es tan peligrosa como la energía nuclear.
5. Se le debe poner una multa a una industria cuando ésta contamina la atmósfera.

¡Así lo hacemos! Estructuras

3. The subjunctive and the indicative with adverbial constructions

12-17 Una jefa exigente.

1.	empecemos	5.	haya
2.	tenga	6.	sepa
3.	diga	7.	busque
4.	necesiten	8.	quieran

12-18 Un problema con la tecnología.

1. Normalmente, él entra al banco cuando recibe su cheque.
2. Él va a usar el cajero automático tan pronto como llegue al banco.
3. Él firmará su tarjeta antes de que deposite el cheque.
4. Él saca una calculadora para que su esposa sepa cuánto dinero tienen en el banco.
5. El cajero automático hace mucho ruido en cuanto pone su tarjeta.
6. Ramón necesita entrar al banco a fin de que el cajero sepa que no funciona el cajero automático.
7. Él no se quiere ir del banco sin que alguien le devuelva su tarjeta.
8. Él tiene que esperar un rato hasta que el técnico repare la máquina.
9. Otro empleado le dice que no es necesario esperar, a menos que él quiera llevarse la tarjeta ahora mismo.
10. Ramón decide salir, con tal que el banco le envíe la tarjeta a su casa.

12-19 En la oficina.

1. Transmitiré la información en cuanto ella calcule el precio.
2. Sacaremos fotocopias hasta que el jefe llegue.
3. Ana fotocopiará la información cuando tenga tiempo.
4. Imprimirán el folleto aunque ella lo diseñe.
5. Encenderá la computadora luego que entre.
6. El técnico instalará la fotocopiadora, tan pronto como reciba el dinero.

12-20 ¡A completar!

1.	conservar	7.	protejamos
2.	hagamos	8.	tomó
3.	practiquen	9.	arrojen
4.	contaminó	10.	haya
5.	cueste	11.	sepa
6.	recibamos	12.	tengamos

NUESTRO MUNDO

12-21 Los hispanos en el Canadá.

1.	C	6.	C
2.	F	7.	F
3.	F	8.	C
4.	F	9.	C
5.	C	10.	F

12-22 La investigación.
(Answers will vary.)

TALLER

12-23 Mis acciones.
(Answers will vary.)

12-24 Centros de reciclaje.
(Answers will vary.)

¿CUÁNTO SABES TÚ?

12-25 El futuro.

1.	asistiremos	6.	irán
2.	tomará	7.	tendré
3.	tomaré	8.	divertiremos
4.	aprenderá	9.	estudiarás
5.	querré		

12-26 El subjuntivo con conjunciones adverbiales.

1.	soy	6.	tenga
2.	es	7.	protejan
3.	sea	8.	hagamos
4.	eche	9.	tengamos
5.	tomen		